平凡社新書
998

上海

特派員が見た「デジタル都市」の最前線

工藤哲
KUDŌ AKIRA

HEIBONSHA

上海●目次

N
秋田
日本
東京
横浜
0
400km

上海周辺
N
東シナ海
0
20km

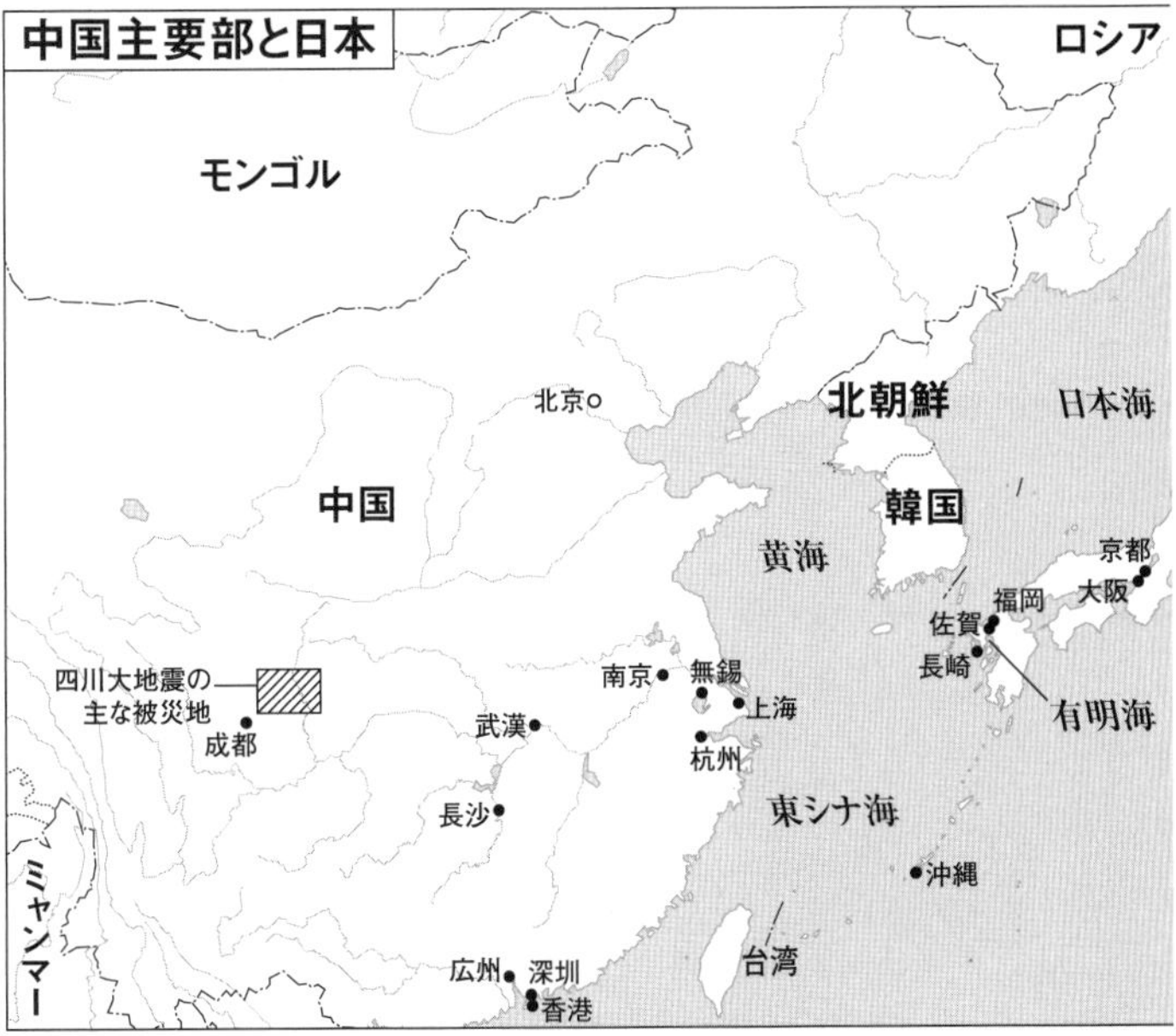
中国主要部と日本
ロシア
モンゴル
北京
北朝鮮
日本海
中国
韓国
黄海
京都
大阪
福岡
佐賀
長崎
有明海
四川大地震の
主な被災地
成都
南京
無錫
上海
武漢
杭州
長沙
東シナ海
沖縄
ミャンマー
広州
深圳
香港
台湾

長江
崇明区
崇明島
江蘇省
宝山区
長興島
嘉定区
横沙島
虹口区
静安区
楊浦区
蘇州市
普陀区
呉淞江
長寧区
浦東新区
太湖
虹橋空港
黄浦区
浦東国際空港
青浦区
徐匯区
上海ディズニーランド
閔行区
松江区
上海市
黄浦江
滴水湖
奉賢区
臨港エリア
東海大橋
金山区
杭州湾
浙江省
洋山港へ

はじめに――記者を悩ませる「魔都」

「上海ですか。楽しそうですね」
「おしゃれなところでいいですね」
「書くことはいくらでもあるでしょう」

自分が上海駐在記者だと伝えると、相手から大抵こんな言葉が返ってくる。

日本と距離が近いので歴史的にもつながりが深く、ほかの地域に先駆けて近代化する巨大都市。中心を歩けばきらびやかなネオンが輝き、地下鉄の駅から出ると、ほとんどが大きなショッピング施設に連なっている。街中にはしゃれたカフェやレストラン、一流ブランド店が建ち並ぶ。行き交う上海人たちの着ている服は、色鮮やかでセンスがいい。日本のありきたりなスーツやジャケット姿でいると何だか見劣りしている気もする。気ままに街を歩き、ショッピングをするなら、これほど楽しい街はないだろう。

だがここは、駐在記者として過ごし、記事を書き続けるうえではこの上なく苦しい日々だった。その悩ましさは、かつて勤務した北京をしのぐものだったと言ってもいい。新聞の読者なら、上海発のニュースの量は北京と比べて少ない、と感じることがあるはずだ。

筆者が実感した上海発のニュースの難しさは、限られた国際面のスペースで「日付モノ」として書きづらかったことが理由の一つだ。ここで言う「ニュース」とは、政府首脳同士の会談だったり、国際会議だったり、事件や事故の発生だったり、日々に開かれるイベントだったり、「歴史的出来事の○○から○周年」といった日付モノといった内容だが、上海は首都ではないし、筆者の駐在中には、新型コロナウイルスの関連のニュース以外だと、いわゆる大規模な事件や事故は普段多くなかったのかもしれない。だから表面上は経済ニュースが中心になり「大きな国際ニュースは少ない」ことになってしまう。

だが実際には、上海の社会は確実に、しかもかなり早いスピードで動いていた。現地を歩いたり、ニュースを読んだり、人の話を聞いたりすると、「新聞ではタイミング的に書きにくいが、この動きは何とか伝えたい」と思う話や現象が次々に出てくる。それをいくつかつかまえていき、ようやく記事の下地ができる。こうした作業を積み重ねてようやく一つの記事ができる。だから、上海では記事一本を書くのにとても手間と時間がかかった。

北京は中国指導部の動きを追い、記者会見やニュースが目白押しで、それをカバーするだけですぐ手一杯になる。では、上海のニュースを伝えるにはどうしたらいいのだろう

――。私だけでなく、ここに駐在した記者なら誰もがきっと深く悩み続けたはずだ。

ある上海のベテラン記者は「上海発のニュースは、ひねり出すことが大事」と語っていた。だが、筆者にはこの言い方にも違和感がある。上海のニュースはなかなか日本に伝わりにくいが、かといって「ひねり出した」ニュース、あるいは現場に行かずにネット情報を引用する記事ばかり書いていたら、まして普段の雰囲気はうまく伝わらないのではないか。

駐在していた二〇一八年から二〇年秋の間に、中国に関しては新型コロナウイルスに加え、米中の貿易などの対立、習近平指導部の外交、またデモが続いた香港のことが多く報じられた。しかし中国全体の動きは日本に伝えられても、特に上海の地元の動きはなかなか十分に伝えきれなかった。

だからといって、上海でニュースがなかったわけではもちろんない。

上海やその周辺で起きていたことを、どうまとめて伝えられるのか。これが駐在中の筆者の一番の課題だった。

コロナ禍で往来は不便になってしまったが、上海は「日本に最も近い中国の街」であり、「日中関係の入り口、または最前線」であることに変わりはない。距離的に身近な国である日本から日々強い影響や刺激を受けており、また多くの人たちが日本に出かけ、さまざまな形で幅広い層の行き来が続いてきた。この地域では一体何が起き、住む人たちは何を考え、どんなことが進んでいるのか。見聞きしたことを改めて可能な限り振り返ってみた。

筆者は北京に約五年間勤務し、その後上海に約二年半駐在した。北京では日中関係の「最悪の時期」を過ごしたが、上海では正常軌道に戻ったとされ、比較的関係が上向いていた時期も経験した。

二つの街での生活で、同じ中国にいるのに、かなり違っていると感じたことも少なくない。中国はとてつもなく広く、多様だ。こうした雰囲気を感じ取っていただけたら幸いだ。二〇二二年は日中国交正常化からちょうど半世紀、五〇年の節目でもある。上海から見えてきた日中関係の現状や見通しについて、読者の皆さんの何らかの参考になればと思う。

まずは、筆者が取材で動き回った上海の街を紹介したい。

年齢はいずれも取材時、一元=約一八円（二〇二二年一月現在）。写真は一部の提供写真を除き、著者が撮影した。

序章
上海特派員の日常と舞台裏

筆者のオフィス周辺。至るところにカメラが設置され、配達員のバイクが行き交う＝上海市内、2020年

悩みの種はネット規制

中国の地図をざっと見てみると、日本の二〇倍以上にもなる広い大地や島が広がっている。北のほうには北京、南には香港や広州、西には陝西省の古都・西安や新疆ウイグル自治区の区都ウルムチ。これに対して上海は大まかに見て東側のほぼ中間、といった位置にある。

日本メディアは主に、北京や上海、広東省広州、遼寧省瀋陽、香港などに記者を置いており、北部や中国政治を主にカバーする北京特派員とは対照的に、上海特派員のカバーは主に南部、あるいは西部のニュースだった。

海外特派員は、日本の各メディアの報道に加え、現地の主要メディアを毎日チェックする。中国も例外ではなく、日本の全国紙やNHK、民放のニュースに加え、中国各紙やサイト、さらには香港メディアなどに連日目を通す。なのでニュースを読むだけでも日本にいる時の二倍以上の時間がかかった。こうした日々のニュースの蓄積が、記事をまとめる時や取材を深める時の備えとして欠かせない。

朝起きて最初にするのがニュースのチェックだ。眠気を感じつつ、まず「百度」「新浪新聞」「鳳凰新聞」といったスマホアプリのニュースサイトに流れている速報を見る。さらに現地のテレビとNHKのニュースを見てから、各メディアのニュースサイトに目を通す。これをやるだけで連日一時間をゆうに超えてしまう。急いで追うべきニュースがないことを確認し、それから出勤の準備を始める。

毎朝のニュースの閲覧で悩みの種だったのが、中国のネット規制だ。中国国内では通常、フェイスブックやツイッター、インスタグラムに加え、日本のヤフーや日本の主要メディアのサイト、中国に批判的な欧米メディアや香港メディアは閲覧の規制がかかって見ることができない。

日本メディアのニュースサイトはなぜか日によって見られたり、見られなかったりしていた。例えばある日は「毎日新聞」や「日本経済新聞」のニュースサイトが見られるのだが、連日見ているとある日、急にエラーの表示が出たりする。なぜ日によって検索の可否や速度が違うのか理解に苦しむのだが、毎年三月の全国人民代表大会（全人代）が近づいている時期や中国での大規模な国際会議、スポーツの大イベントなどで多くの外国人や国家指導者が移動する時期には特につながりが悪くなる傾向があった。「ネット閲覧だけなら東京にいる記者に見てもらったほうが明らかに早い」と思えたことが何度もある。ある特定の同業他社の記者が書いた内容が中国当局を刺激したからではないか、と見る人もいた。

こうした事情をカバーするために必須だったのが、規制の壁を乗り越える有料のＶＰＮ（Virtual Private Network＝通信内容を暗号化したネットワーク）ソフトだ。同業他社や日本人社会ではいくつかのアプリやサイトが有効だという情報が回っていたが、それでも時期によってつながりにくくなることがあり、この「ネット環境の良し悪し」が仕事の効率やストレスに大きく影響した。

当局のネット規制は、皮肉なことに中国人にとっても大きな悩みの種だったようだ。日本のことを研究する政府系研究機関の関係者は筆者にこうつぶやいた。

「日本の政治のことを調べたいのだが、中国にいると日本メディアのサイトが自由に見られない。ヤフーすらまともに見られない。これでは今の日本のことがますます分からなくなる。外国のことを調べようとしても、こんな状態ではまともな研究にならない」。困り果てた様子だった。

だが、上海のある医療関係の企業に勤めるキャリアウーマンによると、「一部の研究機関などでは、こうした規制が一切かけられていない場所もある」ということだったが、真偽は不明だ。

普段の通話はスマホの電話だが、よく使ったのが中国版LINE「微信《ウイーチャット》」のアプリだ。ネット環境があれば無料で相手と通話できるが、中国当局公認のアプリであり、会話の内容や送受信する資料や画像、音声が外部の誰かに漏れている可能性がある、という懸念が常にあった。

スマホ決済の機能やQRコードのスキャン機能は優れており、かなりの速さでデータをインストールできるのだが、通話時には音が切れたり、つながるまでに一〇秒近く時間がかかることもあった。相手との会話で「ウイグル」「台湾」「香港」「習近平」などの言葉が交わされると、そこから急に通話が切れたり、つながりにくくなったりした。「敏感なキーワードには自動的に反応して何かのスイッチがオンになるからなのでは」と言う人もいたが、原因は定かではない。

上がり続けた家賃

筆者の職場と自宅は上海市のやや西にある長寧区の虹橋地区にあった。このあたりには日本総領事館や多くの日系企業や事務所が入居するビル「上海国際貿易中心」がある。市の中心部の南京路あたりから見ればやや郊外で、日本で言えば東京都中野区とか横浜市とか、そんなイメージの立地だ。一九九〇年代に開発が進んだ浦東地区は金融関係の企業が多く、西側の虹橋地区は日系企業が集まり、その工場の関係者やその家族が多く住んでいる場所だと言われていた。

上海の中心地で立派なオフィスを構えれば、毎月の家賃は三万元（約五四万円）は下らない。筆者がいた時期は上海の地価は上がる一方で、年を改めるごとに貸し主は契約の見直しで値上げに踏み切ろうと待ち構えていた。

「今年からは一〇〇〇元（約一万八〇〇〇円）値上げしたい」

「いや、せめて五〇〇〇元（約九〇〇〇〇円）で抑えてほしい」
中国人のオーナーと入居する駐在員の間では、こうした家賃を巡る交渉が至るところで起きていた。こうした交渉の末に泣く泣く家賃の値上げを日本の本社に報告するが、コスト削減が必要な本社はそれを渋る。多くの駐在員がこうした中で板挟みの状態だった。

上海は駐在員や学生など、それぞれの立場によって住む場所が割とはっきり分かれている。最も家賃が高いのはやはり外灘（バンド）や南京路近くなどのオフィス街や新天地といったおしゃれなエリアで、ここの地域を中心に値上がりをいかに早く予想して不動産を買えるかどうかが多くの上海人の関心事だった。

生活には困っていないという裕福な上海人に聞くと、改革開放政策が始まり、不動産が自由に買えるようになったころに中心部に部屋を買って成功した経験を話す人が多かった。目をつけた場所にまず家を買い、値上がりした後にいったん売り払う。そこで得たお金でやや郊外にまた別の家を買う。そこが値上がりしてきたらまた売り払う。これを繰り返し「家はどんどん郊外に移っていくが、資産はますます増えていく。老後は郊外でまったく不便はない」とのことだった。

こうした裕福な人は仕事をする必要がないが、「何か仕事をしないと自分がだめになるから」と安い給料の職場に勤め、正規スタッフでも手が届かないような高級外車に乗って通い続ける人もいた。

一代で大きな財を築き、いくつも会社を経営している経済人に「今の楽しみは？」と尋ねてみたことがある。するとこいくつかある。まず、人の少ないスキー場で夜に滑ること。あとは澄み渡る空をじっと眺めること。それから深い海に潜ることとかな。静かな場所でそれをしていると、いかに自分がこの世でちっぽけな存在かがよく分かるんだ」ということだった。

日々とてつもない額の資金を扱っていると、じっと心を落ち着けて静寂を求めるとか、そういうことがしたくなる心境になるのかもしれない。

鉄道は乗るたびに手荷物検査

天気がいい日は、シェア自転車に二〇分ほど乗って通勤していた。雨が降る日は主に地下鉄で通い、職場まで二号線に乗って二、三駅の距離だった。

乗っている人が着ている服や、地下鉄の窓に浮かび上がる電光掲示の広告を見ながら、その時々の季節感や上海の流行が何となくつかめた。「何気なく駅や街を歩いている人が着ている服やその色、眼鏡のデザイン、持ち物はどれも新商品開発のヒントになる。実際に人を派遣してリサーチしている」という日系企業関係者の話も耳にした。

地下鉄に乗っていると、周囲の八～九割がスマートフォンを眺めている。画面をのぞいてみるとゲームに熱中していたり、服や化粧品の買い物だったり、ドラマやアニメ、株価

地下鉄各駅の改札付近に設置されている手荷物検査機器＝上海市内、2020年３月

の動きをじっと見ている人が多い。

上海や中国の地下鉄で日本と違うのは、乗るたびに必要な「手荷物検査」だ。上海の地下鉄の駅ではすべて改札の直前に手荷物検査がある。ここで特殊機器に荷物を通し、カメラで列に並んでいる乗客の顔を撮影している。朝夕のラッシュ時には長蛇の列になるので警備員は忙しく、呼び止められることはほとんどなかったが、これも当局の不測の事態に対する備えだろう。大都市の間を結ぶ高速鉄道でも、駅構内に入る前に手荷物と切符と身分証の確認がある。

この生活に慣れてしまうと、こうした手間が一切いらない日本では格段に楽だが、逆に「安全性は大丈夫なのだろうか」と不安も感じる。日本でも、首都圏の列車内での殺人未遂事件などが現実に起きており、今後は中国の例なども見ながら規制を強める方向に進んでいくのかもしれない。

高まるデリバリー依存

職場に着くと、まず現地助手と顔を合わせ、その日の仕事の打ち合わせをする。大きな事件や事故が起きると発生のテロップが流れるため、その警戒もあって国営中国中央テレビ（CCTV）をつけっぱなしにしながら、届いた各紙に目を通し、取材の予定を入れたり原稿を書いたりする。

原稿を出す時間が早いほど紙面の扱いは大きくなりやすいため、夕方までには原稿を送る。またウェブ用にも原稿を書くことが増え、紙面用だけでなく、長めのウェブ用と書き分けていた。

昼間は取材先との情報交換も兼ねた食事に出るが、予定が少ない日は弁当、あるいはアプリで食事を注文していた。

アプリで頼む食事は、種類にもよるが一度で四〇元（約七〇〇円）ほどだ。マクドナルドのセットやうどん、刀削麵、担々麵といった中華料理などのメニューには事欠かない。食事の配達員にとってはこの時間帯は書き入れ時で、配達予定時間に間に合わせるため猛スピードで街中をバイクに乗って走り回っていた。注文した人は、アプリで配達員の所在を確認できる。また態度が悪ければスマホで「悪い評価」をつけることもできる。

配達員はこの顧客からのペナルティを恐れ、必死の形相で街を走り回っていた。このため警察に足止めされて罰金を要求されていたり、車と衝突してけがをしている現場をよく見かけた。高層マンションを駆け上がって往復し、汗だくになっている姿も珍しくなかった。

中国メディアによると、こうした配達員の約九割を男性が占め、約半数は二〇代の若者だ。二〇一八年に南京市で調べたところ、デリバリー業界のバイクの交通違反の発生率が最も高く、普通の市民の五倍の高さだった。上海では一七年に事故で九人が死亡し、一三四人が負傷したという。

デリバリーサービスの需要は高まる一方で、配達員は常に不足している状態だ。上海では筆者の駐在時、配達員の一カ月の収入は五〇〇〇元(約九万円)に迫るほどだったが、有能な配達員は一万元(約一八万円)を超えることもあるという。朝早くからでも三〇分ほどで自宅に届けてくれるスーパーや帰宅時間に合わせた配達サービスもあった。

街がこう変わってくると、住民はますます「デリバリー依存」の生活習慣になってくる。「確かにとても便利だけど、自分の手足を使わなくなり、人任せにしてどんどん怠け者になっていく気がする」。こう語る人が身近に少なくなかった。

時折遭遇した「紅包」

気晴らしは、はやりの映画を見たり、至るところにあるショッピングモールで売れ筋の商品を観察したり、古い街角を歩いたりすることだったが、時折顔を合わせる駐在員との他愛のない雑談もかなり勉強になった。

上海には全国紙各紙だけでなく電子部品などの専門紙記者、またNHKや、主に関西から派遣された民放記者もいる。欧米メディアや韓国メディアも駐在していた。普段、各所で顔をよく見るのは企業の駐在員や日中の政府関係者、日本の自治体関係者、研究者や中国メディア関係者、留学生、あるいは家族の事情で上海に長く住んできた人などだ。

駐在員はどの組織の人も本社や本部との板挟みでさまざまな懸案や悩みを抱えており、「中国人スタッフが結託して一斉にサボタージュを起こした」「スタッフが突然辞めてしまった。○○が理由だ」「○○会社、○○団体の経費で不正があった」「○○に当局の取り締まりが入った」「上海の○○当局の○○のルール改正で経費の手続きがさらに面倒になった」などなど、事欠かなかった。

中には「事情通」を名乗る人もいた。中国筋の事情を深く知っている、実際一部の組織に出入りしていると自己紹介し、さまざまな裏話を教えてくれて参考になったが、真偽は不明のままだった。

「魔都」と呼ばれる上海には、種々雑多な人がいることは確かだ。

また、各所の会合に呼ばれたり、企業や地元政府の記者会見もあった。中国企業が記者を招く記者会見では、新商品の宣伝なども多い。

こうした場に行くと、赤い封筒が置かれていることがあった。ある有名外食チェーンの会見の取材に行くと、受付で手にした封筒に八〇〇元（約一万五〇〇〇円）の現金が入っていた。筆者が北京にいた時期よりもこうした機会は少なくなったが、それでも「紅包」に時折遭遇することがあった（いずれも丁重にお返しした）。

気が重かったのは、中国側の人が会合に招く場合、出席者の「肩書き」や「記念写真の撮影」が目的ではないか、と思えることも多かったことだ。事情をよく知らないまま行ってみると、大音量のマイクで会社の肩書きと名前を呼ばれ、記念写真の撮影を求められる。後になって、知らぬ間に出席者の名前や肩書きがネットで紹介されている。つまり「外国メディアの関係者も足を運ぶほど、この集まりは権威がある」ことを知人や関係者に見せるために利用されていたようだ。中国は日本並みか、それ以上に「肩書き重視」の社会だと思った。

外国メディアに対する規制

上海特派員に必要なことの一つは、事件や事故などのいわゆる「発生モノ」の取材だ。何か大きなことが起きると、真っ先に現場に向かうことになる。

これまでに象徴的だったのが、筆者の駐在前には四川大地震（二〇〇八年）があり、中国駐在後には浙江省温州市での高速鉄道脱線事故（二〇一一年）、日本政府の尖閣諸島国有化に中国が反発して中国各地で起きた反日デモ（二〇一二年）、香港で起きた大規模デモ（二〇一九年）といった現場だった。こうした場合には北京特派員は報道ベースの情報を集めて原稿にまとめ、現場にいる上海特派員が様子を取材して伝える、という分担になる。

いったん現場に入ると、そこで移動用の車やタクシーをチャーターする。またホテルを長期で予約する。予想外の長期出張になる場合もあり、日々の取材道具に加えてヘルメットやゴーグル、多めの現金や食べ物などの備えが必要だった。

中国各地の取材で常備が必要だったのが「パスポート」と「記者証」だ。各地に取材に行き、無事に現場を取材でき、写真や動画が撮れれば良いのだが、途中の幹線道路で警察の検問に引っかかったり、宿泊先や空港、駅などで取り調べを受ける場合がある。こうした時には毎回「身分証は？」と要求される。その時にこの二つが必要になる。そして派出所などに連行され、撮影した素材をチェックされ、削除を要求されたりする。せっかく現場に行ったものの、こうした対応に長時間を費やすだけで、結局満足な取材ができず戻ってくる、ということも起こる。

記者証は赴任直後に、上海市の外事の担当部署に申請し、一定の審査を経て受け取れる。帰任前には返却が必要になる。中国では、メディアの記者は「当局の宣伝機関」という位置づけで、記者証を持たなければ報道できる身分とみなされない。こうした立場から、外国メディアの記者にも記者証の所持を求めている。

筆者はかつて、北京の外交関係者から「その記者の取材を認めるかどうかは国の主権の問題だ」と聞かされた。つまり外国メディアの駐在やその報道は当局に審査され、内容次第でさまざまな対抗措置があり得る、ということだ。こうした大きな圧力を感じながら、中国駐在の記者は日々地道な取材活動に取り組んでいる。

特に中国で面倒が多いのが、新疆ウイグル自治区だろう。

ここで起きている現実はまだまだよく分からないことが多い。それを確かめようと日本を含む外国メディアが現地入りを試みているが、地元当局による厳しい取材規制が続いている。

「空港に着いた途端、当局者が待ち構えていた。いくつかの観光地だけを連れ回されて追い返された。行きたい所にたどり着けなかった」

「ホテルの部屋に当局者が乗り込んできた」

「自治区にいる間、ずっと数人の男に追いかけ回され、尾行された。気が休まらなかった」

「突然、強引に押されてけがをした」

こんな話には事欠かなかった。

当局に番号を届け出ているスマホを持ち、空港や駅などの公共施設など至る場所でカメラで撮影されている以上、それをすべて回避して現地で取材を続けるのは相当難しい。筆者含め、各社の記者の重苦しい経験は尽きない。

中国駐在記者に求められること

中国の駐在記者には時折、プレスツアーの参加が呼びかけられる。つまり各地の地元政府が見せたいものをアレンジして日程を調整し、各国の記者を招くのだ。上海市の政府関係者から、「どんなものを取材したいですか」「何に興味がありますか」と希望を聞かれることもある。だが、こちらの希望が通ることはまれだった。一部には確かに興味深い場所も含まれていたが、それは数日の日程の間に数ヵ所、といった印象だった。あとは地元政府が外国メディアに見せたい場所に連れて行かれることが多かった。このためツアーが企画されても「途中の一部の日程だけ参加」という社は多い。

筆者が駐在していた時期は日中関係が改善傾向にあったこともあり、上海周辺の地方政府が日本企業からの投資を狙ってその都市の魅力を発信するためのプレスツアーがよく準備された。それだけだとなかなか記事にしづらいのだが、その機会を逃すとなかなか関係者から詳しい説明を聞けなかったり、取材できない現場があったりする。だが参加するとある程度の時間を要するので、参加するかどうかの判断を迫られる。

上海や浙江省杭州での取材は、こちらが関心のある中国の先端技術が公開されることも時々あった。だが決してそればかりではない。別の周辺都市の中には「お金を払うから大きく記事を載せてほしい」「市のトップが会見するからそれを大きく紹介してほしい」といった要求を露骨にしてくる地方政府もあった。外国メディアに対する認識の面では、先進都市・上海の周辺でさえ場所によってまだまだ差が大きいのが実情だ。

近年は急速にデジタル化が進んでいることもあり、上海や中国南部で事件や事故の現場取材をする機会は明らかに減った。むしろこれからの中国駐在記者に求められるのは、政治や外交、社会にとどまらず、経済や先端技術、人工知能、生物学といった科学分野の専門知識に変わってきている気がする。

第1章 デジタル都市の光と影

無人銀行の入り口で利用者を迎えるロボット＝上海市内、2018年10月

どこにいても見られている

「上海」と言えば、多くの人は中心を南北に貫く川、黄浦江《こうほこう》に面したテレビ塔「東方明《とうほうめい》珠《しゅ》」や、目抜き通りの「南京路《なんきんろ》」を想像するかもしれない。このあたりを何気なく歩けば、まず「光る横断歩道」や「画像付き信号機」が目につくはずだ。

信号機が赤なら、下の路面も赤に。また緑の表示なら緑に点滅する。信号機の上には監視カメラが置かれ、その柱には画面が備え付けてあり、歩行者が映像に記録される。もし赤信号を渡っていたら、その歩行者は自動的にカメラで撮影されて「問題あり」と認識され、顔認証で誰かを特定されることになる。いつどんな形で罰せられるかは予想できない。

歩行者の動きを監視するデジタル信号機。「あなたは既に違法だ」と顔を表示して警告している＝上海市中心部、2019年

上海の中心地なら、歩行

交通違反の疑いで警官に呼び止められる市民＝上海市内、2019年

者はどこにいても撮影されている、と考えたほうがいい。

こうして日々の自分の姿が映像で記録され続ける心理的圧力は、日本に帰任した後になってから「実は相当なものだった」と気づいた。筆者は直接罰則を科されたことはなかったが、信号機の画像が出現してから、信号無視への恐怖感が強まった。「下手に先を急いでカメラに記録され、面倒が起きるくらいなら素直に従ったほうが無難」という気分に変わっていったのだ。多くの上海人もきっと似たような心境だろう。

上海に住む友人から、こんな話を聞いた。ある日、中心部の南京西路で横断歩道のない狭い道を渡ったら、待ち構えていた警官が「はい、たった今、道路を渡った全員、すぐこっちに来て」と呼び止めた。逐一身分証をチェックし始め、全員から罰金を徴収した。

上海の主要な交差点には、なぜか警官の姿が多く、物陰に隠れて違反者をチェックしていることもあった。歩行者への警官の監視は日常的に続いている。

「スマート公安」「電子警察」。中国メディアは時折、こんな言葉で警察の治安管理のハイテクぶりを伝えていた。つまり、先端技術を駆使して違反者を特定し、容赦なく罰金を徴収していく。それは自転車や車の駐車違反、信号無視、速度違反など、あらゆる行為がその対象だった。飲酒運転など行為が悪質な場合、身分証の番号も公にされている。

上海紙は二〇二〇年一月、街のシンボルである外灘地区で「ロボット警官」が巡回する様子を伝えた。白い機体に「警察」と書かれ、二四時間この一帯を巡視している。歩行者が最も多いところに配置され、高精度のカメラで歩行者の不審な動きに目を光らせ、音声で安全を呼びかける。

「どこにいても何をしても、常に見られている」。上海に滞在していてしばらく経つと、否応なくそんな気にさせられた。

スマホが手放せない

中国人にとって命の次に大切で、失ったら困るものはスマートフォンだろう。街を歩いても地下鉄に乗っても、行き交う人は誰もがスマホを眺めている。周囲には目もくれずに必死に何かをやりとりし、ゲームに熱中し、ドラマを見ている。上海での「スマホ依存」

ぶりは日本以上に見える。

二〇一八年四月に上海に赴任した筆者はまずスマホを受け取り、中国版LINE「微信《ウイーチャット》」を設定した。これは各所のやりとりに不可欠で、なければ仕事どころか、生活にも大きな支障が出るからだ。

中国の各地の店は、「微信支付《ウイーチャットペイ》」や「支付宝《アリペイ》」での支払いを勧めている。日本でも中国のスマホ決済はかなり大々的に報じられてきたが、現金が決して使えないわけではない。ただ運転手や店員に払おうとすると「なぜスマホ決済にしないのか」と不機嫌な顔をされる。

地下鉄のプリペイドカードの料金をチャージする時も、機械は現金を受け付けない。公共料金の引き落としや銀行口座の開設もスマホにひもづけられ、最初に身分証や番号などを確認される。あらゆるサービスがスマホと連動している。

「微信」は、知人同士のメッセージや買い物の支払いなども手軽にでき、日常生活で重要度がますます増しており、五〇歳以上のシニア層もほぼ利用している。

中国でのスマートフォンを通じたサービスの急速な普及に伴い、使いこなす必要に迫られているためだが、悪質業者による詐欺の被害も相次いでいる。

上海紙によると、五〇歳以上の「微信」利用者は、二〇一五年には一二六三万人だったが、一七年には五五歳以上でも約四倍の五〇〇〇万人に急増した。主にニュースの閲覧や動画の転送、祝い金の送金といったサービスで利用が広がっている。中国が「一人っ子政策」を進めた時に生まれ、親元を離れた子どもが、高齢になった親に付きそう時間の余裕がなく、離れた実家にスマートフォンを送り、利用を勧めることも多い。中国メディアはスマホ決済が「特に中・低所得者や農村部の人々などにも大きな影響を与えている。発展が遅れた各地でも金融サービスが利用できるようになり、消費の需要を掘り起こした」と伝えた。

一方で悪質業者による商品の大量購入割引のサービスなどの誘いにだまされる例が多く、「高齢者は日ごろ孤立しており、詐欺と判断し、防止できる身近な人がいないことが背景にある」としている。

微信やスマホ決済は確かに便利で、日常生活の手続きは楽だ。だがますますスマホに縛られ、自分の行動は間違いなく誰かに把握されている。スマホへの依存を強めるほど、所在や行動は隠せなくなる。

筆者は、どうしても人に知られたくない外出時はスマホを自宅に置いていくこともしていたが、「もう逃げられない」という感覚は年々強まる一方だった。

中国では何か手続きをしようとすると微信のＩＤや旅券番号、スマホ番号を問われる。こういうことが繰り返され、ますます「暗黙の圧力」を感じるようになった。

「スマート防犯」の効果は

だが、こうした監視や把握が進んだことで、それまでの難題が解決できるようになった、という面もある。

これは南部の例だが、中国メディアは二〇一八年春、広東省で一九九四年に誘拐され行方不明になった三歳の男児が、DNA鑑定やビッグデータによる当局の捜査で二四年ぶりに両親との再会を果たしたと報じた。捜査当局のデータ収集力の向上が背景にあり、同様の事例が相次いでいる。

両親と再会したのは香港で働く二〇代の張富強さん。三歳の時に広州の建築現場で遊んでいた時に男に連れ去られた。両親は湖南省や安徽省、四川省などを探し歩いたが手がかりはなかった。

しかし近年、張さんはテレビを通じて行方不明の子を尋ねるサイト「宝貝回家（我が子よ帰ってきて）」の存在を知り、その後公安当局に自分の血液を提供した。

両親と生き別れになった張さんは、その後「黄」姓として過ごしていたが、一〇代の時、突然養母から連れ去りの事実を聞かされた。その後深圳市の捜査当局に両親の特定を依頼してデータを調べたところ、両親のDNAが短時間で判明したという。両親と張さんは二四年ぶりの再会に戸惑いながらも喜びをかみしめた。

中国では農村を中心に、後継ぎの子どもを求める人が少なくなく、子どもの誘拐が頻発して社会問題になっている。一方で当局の捜査技術の急速な向上や、個人データの蓄積が近年進み、深圳市の管轄で二〇一七年一月から一八年四月までに五一人の被害者を親元に帰したという。

また、香港の有名歌手、ジャッキー・チュン（張学友）さんのコンサートで、監視カメラの顔認証システムが効果を発揮し、逃亡中の容疑者を一斉に逮捕した事例もメディアで伝えられた。中国ではテロ対策の名目で全国に設置される監視カメラは一億台を超えるとされる。

上海メディアは一九年一一月、市内の家屋に侵入する盗みの事件は前年よりも約六割も減ったと伝えた。公安当局は「スマート防犯の効果が日に日に顕著になってきた」と胸を張る。

各地に張り巡らされた監視カメラは、確かに犯罪件数の減少や安全をもたらしたが、それと引き換えに絶えず市民が監視にさらされる緊張感にもつながっている。

行き先を把握されるシェア自転車

水色や黄色、オレンジ色をした自転車。上海を歩いていれば至るところで目にする中国のシェア自転車で、黄色は「美団」、水色は「ハロー」のブランドだ。新たなブランドやデザインが続々と生まれている。ハンドルの中央やサドルの下にQRコードがあり、それをスマホアプリでスキャンすれば自動的にロックが外れ、自由に乗れる。好きな場所に乗り捨てでき、使い終わったら利用した経路や距離、時間もスマホ画面に表示される。半径数キロなら料金は日本円でわずか数十円から数百円だ。地下鉄の駅の間の距離感が東京にも似ている上海では、自転車移動は簡単で健康にも良く、とても便利だ。

だが何度も乗っていると、走りながらなかなか気が休まらない。

道路の脇側を走っていると、ランチなどのデリバリーサービスのバイクが猛スピードで前後から迫ってくる。中には片手でスマホを見ながら疾走するドライバーも。こうした若いドライバーたちは、「一分でも遅れたら不利になる」と時間内の配達に必死で、無理な運転は時々人身事故を引き起こす。歩道に目を転じれば、歩行者の中には歩きスマホ。「危ない」。何度もぶつかりかけた。

乗ったはいいが、壊れているものも結構ある。かごの位置が傾いていたり、ブレーキが利かないものもある。一度走り出したものの、危ないので別のに乗り換えたことが何度もあった。

シェア自転車は二〇一六年ごろから中国でサービスが広がったが、中国メディアはたびたび注意を呼びかけている。サドルが外れていたり、反射灯が壊れたりしているものも多く、上海では一八年、「正常に乗れる自転車は六〇％に満たない」とも伝えられた。ブレーキの故障などで毎日一〇〇件以上の事故が起きていた。普及しすぎて品質管理が追いつかないようだ。自転車はオフィスビルなどの前に大量に並んでいるが、トラックが大量に回収している様子も頻繁に目にした。中国メディアは、無残に放置されたシェア自転車の大量の残骸を大きな写真で時折伝えていた。

上海駐在が長い広告関係者は、中国で生まれるサービスの盛衰についてこう話す。「新たなサービスが出始めてまずその新鮮さが受けてヒットし、その後ライバルが続々と現れて競争が激しくなり、結局当局が介入して飽和状態を整理する。中国はこの繰り返しです」

ヒットして競争が激しくなり、利用者にとっては飽きが始まり、質の悪い自転車が放置され、撤去を待つことになる。

自転車に乗る前には、毎回「これは乗っても本当に大丈夫か?」と車体をぐるりと見回す。慣れれば便利だが、乗る回数が増えるごとにスマホのアプリで行き先は把握され、運動消費量といったデータまで企業に提供され続ける。駐輪禁止の地域で駐輪した場合、罰金を徴収されることもあり得る。

タクシーは「滴滴」アプリで

市内の移動を効率的にするには、「滴滴(DiDi)」のスマホアプリが欠かせなかった。アプリを開くと現在地が表示され、行き先の住所を入力して車を呼ぶと、その時に自分の近くを走っている運転手がスマホに連絡をくれる。数分待って、車のナンバーを確認してタクシーに乗り込む。ただ雨の日は、利用者が殺到してなかなかつかまらなかった。

は、中国メディアによると一日二〇〇〇万台以上の利用があるとされ、方向や目的に応じてタクシーや相乗り車などをスマホで呼べるサービスだ。運営会社である「滴滴出行」日本企業とも連携し、日本での配車アプリ開発に協力するなど、各地で事業拡大を目指している。

多い時、筆者は二日に一度以上の頻度で利用した。タクシーだけでなく、デラックス車や相乗り車を呼ぶこともできる。支払いはスマホ決済。普段昼間に利用する分には危険を感じることはまずない。だがこの滴滴も、安全性の面で問題が起きたことがある。

二〇一八年五月、河南省鄭州で滴滴の相乗りサービスを利用した客室乗務員の女性が、男の運転手に殺される事件が起きた。各地で運転手と乗客を巡る数々のトラブルが判明し、波紋が広がった。運転手の資質が問われる事態になり、中国交通運輸省は、運転手の身分確認を厳格化するなど監督強化に乗り出した。

この男は過去に金を奪うなどの事件を起こしていたものの、無断で父親の名義を利用して運転していたことが判明。相乗り車は、運転免許証などの必要書類がそろえば、三～五日の審査で運転許可が取れ、研修もなかったという。滴滴出行は「責任を感じ言葉もない。誠心誠意（被害者に）謝罪する」と表明した。

滴滴のサービスでは一六年五月にも、広東省深圳市内で二四歳の女性教師が相乗り車を利用した際に運転手に物を奪われ殺される事件が起きている。この時は車のナンバーが偽造されていた。

中国メディアは、滴滴のサービスでこの事件までの四年間に五〇件の性犯罪事件が起きた、と伝えていた。

その後は会社側も安全対策に取り組み、サービスの質の向上を図っている。上海の街では基本的にはこうした事件はほとんど聞かれなくなったが、夜間に一人で利用する時は注意するに越したことはなさそうだ。

コンビニ激戦地

上海の街を歩いて目に留まるのはコンビニエンスストアの看板だ。「好徳」といったローカル系とともに「羅森（ローソン）」「全家（ファミリーマート）」などの日系も多い。筆者の自宅の最寄りの地下鉄二号線の駅「威寧路」の構内には数店。市内の至る所が「コンビニ激戦地」になっている。

だが日本とちょっと違う。店のスペースの広さがまちまちだ。品数もやや少ない。店員の後ろで豆乳が温められていたり、レジ横に一〇種類以上の肉まんなどが並んだりしているところが中国らしい。

上海のローソン関係者によると、一九九六年に上海で一号店を開業。独自商品の研究とともに、店内を清潔にして照明を明るくするなど、他の店との差別化を図り売り上げを伸ばしてきた。二〇一九年一月には中国で二〇〇〇店に達し、二〇二一年九月時点では中国で四〇〇〇店、上海周辺で二〇〇〇店を超えた。幹部は「日本式にとらわれず、中国人のニーズに合わせた独自のサービスで売り上げはまだまだ伸ばせる」と意気込んでいた。

中国式のコンビニとは何か。品数はおおむね二〇〇〇あり、日本の半分くらい。中国の物件はさまざまな形があり、立地を重視するため店内のスペースには差が出ているのだという。

実際には何が売れているのか。浦東新区の金融街の高層ビル二階にあるローソンを訪ねた。昼時のピークを過ぎた午後一時過ぎに店に入ると、夕方に向けて商品の補充に追われていた。

女性店長の莫臨春さん（二六）によると、営業は朝七時から夜一〇時ごろ。約四〇平方メートルの店内に品が並ぶ。客層は二〇代から三〇代の金融関係者で、売れるのは一〇元（約一八〇円）前後のデザートやコーヒー、パン。夏場はアイスだ。ヨーグルトや野菜ジュースも人気だ。若い世代の健康志向が反映されているようだが、こうした傾向は他のエリアにも共通するという。

「売れ行きを見ながら毎週、新商品を出しています。人気があるものを優先的に並べます」と担当者。新商品が続々と生まれるコンビニ。中国で重要なのは早さや柔軟さだ。店をじっくり定点観測するだけでも興味深い。

若者が開発に試行錯誤する無人コンビニ

各地で試行錯誤していたのが「無人コンビニ」だった。スマホのＱＲコードや顔の登録で入り口のゲートが開いて店内に入る。ジュースやお菓子などの商品を棚から取り出し、ゲートを出ると自動的にスマホから金額が引かれて決済する。レジはなく、店員もおらず、店は静かだ。

慣れてしまえば楽だが、事前にスマホでの登録が必要だ。「無人」なのかと思ったら実際には店員が待機する店もあった。機器の不調や商品の調達の時には人の対応が必要だという。資金を持つ企業が投資し、トライ・アンド・エラーを繰り返して実用化を目指す段階だった。

筆者がよく通る地下鉄駅の近くに、新たな無人コンビニができていたのを見つけたのは二〇一八年夏だった。偶然マネジャーの女性がおり、店の経緯についてこんな話をしていた。

この女性によると、開店する時には従来のコンビニ機能に加え、店内のカメラや客の識別システムが必要になる。店内には主に二種類のカメラを置き、一つは店内の客の動きを追い識別する機能を持つもので、もう一つでそれぞれの商品の動きを把握している。

商品の棚の上にカメラが並ぶ無人コンビニ＝上海市内、2018年

それぞれの棚には商品の移動に反応する機器がある。毎日一定の時間に担当者がやってくる。品が売り切れると、システムが通知する。もし商品が持ち去られたらすぐに分かり、その客は瞬時にブラックリストに登録される。なので「万引きはまずない」という。

「いったん慣れれば、二度目は顔認証で商品が買えるので楽でしょう?」と女性はいう。レジで列に並ぶ必要もない。

ただ、混んでいる時には識別にエラーが出てしまうことがあった。客同士の距離が近すぎたり、男女が一緒に店の外に出る時などには誤るのが課題だということだった。

中国での無人コンビニの可能性は大きい、という。「潜在力は一兆元（約一八兆円）」と女性の表情は明るい。「今は利益を出すのはちょっと厳しいけど、あと三年くらいで何とか投資を回収できるようにしたい。大きな店を開くのはコストがかかるけど、一〇平方メートルくらいの小さな店なら今年は二〇〇店、来年には二〇〇〇店は増やしたい」と意気込んでいた。

このサービスの投資企業の幹部は米国のエール大学で人工知能を学び、電子商取引に詳しい専門家だという。一七年に起業したばかりで、従業員は七〇人。三〇歳だというこのマネジャー自身もカナダや英国で学んだ帰国組だ。「中国はインターネットはとても発達していて、人口も多くて発展の潜在力も他国よりも大きいので私も帰ってきたの」と話し、ビジネスの成功を信じて疑わないようだった。

無人コンビニの運営では、顔認証の機能の向上が鍵になる。中国では至るところで顔認証が導入されているが、その効果について中国メディアは「顔認証システム装置一台の一日の作業量はレジ担当者三人の働きに相当する。消費者一〇人が同時に決済でき、決済にかかる時間は従来の五六秒から一〇秒に短縮される。時間の節約以外にレジ待ちも効果的に解消できる。また高齢者や聴覚・視覚障害者などにとって直接的な便利さをもたらす」ことや、「消費者が店で顔認証決済をすると、すぐにその店の会員に登録され、次回の来店時に割引サービスなどが受けられ、消費者の再来店を促し、店にとっては顧客の定着を高める大きなメリットがある」と伝えている。

一方で専門家の話として「指紋認証などに比べて、人間の顔は（常に衆目にさらされており）プライバシー防護のレベルが低い生物的特徴がある。スマホという仲介手段がなくなるため、顔情報をコピーしたり利用したりすることがより簡単になり、それにつれて顔認証決済を利用する場合のリスクも高くなった」「常に外部にさらされている顔だけで行える決済取引には非常に大きなリスクが潜んでいる」という懸念の声も伝えている。

激化する外資誘致競争

上海市の二〇一九年現在の常住人口は約二四〇〇万人。東京より約一〇〇〇万人多い規模だ。上海市の関係者は、時折筆者のような外国メディアの記者をプレスツアーに招き、各区の見所を案内して外国企業からの投資を呼びかけていた。

記者に配られていた上海の投資環境を紹介するガイドブックを見てみると、各区ごとの重点政策や強みが紹介されていた。例えばこんな内容だ。

浦東新区はeスポーツ核心機能エリア、黄浦区は芸能娯楽センターとスマート製造、静安区は映画とeスポーツとファッション産業、徐匯区は人工知能と芸術品産業、長寧区は虹橋ファッション創意産業集積区建設……。

さらに「インターネット映画産業」「音楽産業」「クルーズ産業」「東方の美容健康産業」「レジャー旅行産業」といった言葉が並ぶ。

キーワードを見るだけで、先進都市・上海が今、何に強い関心を抱いているのかが見えてくる。

上海に住むと次第に分かるのだが、地図上では小さく見えるが実際にはかなり面積は広く、それぞれの区がまとまって市になっている。各区の立地や土地柄や強みを踏まえた政策が打ち出されていた。

こうしたキーワードは、いずれも上海市が外国からの投資をてこにしてさらに発展させたい分野ばかりだ。

上海の区の間での「外資誘致競争」は激しい。一九年八月、上海で毎年開かれている各地や企業の人工知能（AI）技術を展示する「世界AI大会」の期間中、日系企業やメディアが視察に合わせて大会会場の地元・徐匯区の担当者と意見を交わしたことがあった。

地元政府幹部はこう説明した。

「ここは市中心部を貫く黄浦江の西岸に位置する場所だが、いずれAI、文化メディア産業の集積地になる。美術館はパリのルーブル美術館と共同で設ける。近くには総合商業施設を造る予定だ。目の前の高層ビルはAI企業が入居し、国営中国中央テレビもオフィスを置く。劇場や音楽ホールもできる」

「ここは市の中心部から割と近いが、一昔前は工業地域だった。万博に合わせてまず川沿いを整備し、徐々に開発を進めていく」

さらに区の関係者は日本への期待を口にした。

「日本から上海への投資は勢いを見せている。外からの投資は香港が一位だが、日本は二位になった。一方で上海から日本への投資も増えている。上海では一八〇近い企業が日本で投資している。ぜひ日本企業は上海に本部の拠点を作ってほしい」

「日系企業は区の全体の外資系企業の一〇%を占める。一番感じているのは『行き届いた経営や管理』だ。他の外資と比べると従業員の定着率は高く評判がいい。研究施設などの立地は大歓迎だ」

さらに区の幹部は、今後の見通しをこう語った。

「つまり四つの産業を重視している。一つ目は情報産業。ソフトウェアサービスの開発応用、情報の端末、集積回路の業界と情報サービスの融合で情報産業群を作りたい。二つ目は文化、創意文化産業だ。文化や創意工夫能力を高めたい。三つ目はライフ・健康産業。ライフ・医薬企業の本部を重点的に導入したい。そして健康業界の発展を加速させたい。さらに四つ目は創新、融合、機能性がある金融機構を集中させ、国際的な現代金融産業群を作りたい」

だが、こうした話なら広東省深圳市のほうが先を行っているようにも思える。上海周辺の強みは何なのか。担当者はこう答えた。

「起業は確かに北京や深圳もかなり発展しているが、上海は世界の科学のイノベーションセンターを目指している」。具体的な強みとして「集積回路」「AI」「バイオ医薬」の三つを挙げた。

日中関係は微妙な時期が続いてきたが、日本からの投資の話になると、中国側関係者は一転して前向きな発言をし始めることが多かった。外国からの投資を引き寄せれば、地元政府にとっては大きな得点になるからだろう。

先端のハイテク都市、臨港エリア

上海の地図を眺めてみる。上海は長江の河口地域に位置し、河口の中州には崇明島がある。その南の海沿いの半島のように若干突き出た所が上海市で、その南に杭州湾が広がっている。

上海の中心部はやや内陸部にあるが、そこから約五〇キロ南東の先端部には、円形の湖がある。この一帯は、自由貿易試験区「臨港エリア」で、その象徴の一つが人工湖の「滴水湖」だ。

地図を見るとわかるように、上海市は南東方向に橋が伸び続けている。エリアを起点に、海に向けて「東海大橋」が連なっている。上海の南東部に位置する舟山列島に向かっており、その先には自動運転の巨大なコンテナ港「洋山港」がある。ここは世界有数の規模で、「いずれは島を結び、上海から約一五〇キロ離れた浙江省寧波市にも橋がつながる構想がありますー」。上海の地元政府関係者はこう語った。

ハイテク都市の建設が進む上海南東部・滴水湖の周辺＝2020年

　このエリアは浦東国際空港にも近く、上海市政府がハイテク都市に発展させる計画を進めており、外国企業やメディアを見学に頻繁に招いて投資を呼びかけていた。この地域は米国の電気自動車（ＥＶ）大手テスラの工場が立地していることでも注目されている。

　上海の企業関係者の間では「上海の開発の現場を見るならここは一度行ったほうがいい」と言われていた。筆者も二〇二〇年七月、中心地から車で片道約二時間かけて出かけた。

　滴水湖は直径二・五キロ。ドイツの著名な設計会社が計画に携わったという。水滴を落とした時に水面がちょうど円形に広がるように経済の発展を目指すイメージで名付けられた。

　面積は浙江省杭州の西湖よりやや大きい。周囲ではホテルなどの建設が進んでいるが、まだ更地も目立ち、地下鉄の駅も完成したばかりでまさに大開発が進んでいた。

地元政府の関係者はこう説明した。

「この地域は今後、AIを駆使して最小限の数の公務員で都市を運営することになる。一つの街なら公務員は一〇〇人で足りるだろう。五〇〇メートル以上の上空にドローンを飛ばして交通管理をし、水の供給も環境データも市民からの意見聴取もスマート技術で対応していく。車は無人運転をテスト中だ。人口は一五万人だが、遠からず四〇万人に達するだろう。優れた人材を呼ぶために戸籍の優遇措置もあり、三～五年で上海の戸籍が取れ、家も買えるようになる。このあたりは今後、豊富な水資源を生かして緑が増え、住宅地域ではトップレベルの科学者が集まり、商業地が発展するだろう」

この地域は、長い歴史をさかのぼれば海だった。上海の発祥はさらに西の松江区あたりだったと言われている。元々は塩の産地で、長江の砂が長年にわたって堆積し、海岸線は年々徐々に東に移動していった。宋や元の時代に貿易港としての重要性が増していったという。その後長い年月を経ていくと、長江の河口で未来の海岸線はさらに東に広がっていく可能性がある。

ここでは多くの顔認証カメラやドローンを駆使した情報収集で人の密集状況を把握することで、より安全な都市運営につなげようとしている。「いずれはAI、都市管理、無人機、無人運転の分野で最先端を行く」。担当者はこう意気込んだ。二〇年、三〇年後、ここは今とはまったく違う様子になっているのだろう。

展示場には「先端技術」

上海にいると、至るところで中国の最先端技術を目にする。浦東新区のリニア鉄道の駅でもある「龍陽路」駅の近くには、巨大な展示場「上海新国際博覧センター」がある。ここでは年中、さまざまな見本市が目白押しだった。上海市は見本市会場の中心地であることを内外に誇っている。中国の最先端を知りたい時には、ここで時々開かれる展示会に足を運ぶことになる。会場をのぞくと、ベンチャー企業の自信の品々やサービスが展示されていた。

二〇一九年六月、ブースに並ぶ最新の電動器具に目を奪われた。展示場で開かれた家電見本市「CESアジア」。その一角で、新たなビジネスモデルを目指す中国のベンチャー企業が開発した製品を展示していた。担当者は画像や商品を見せながら、便利さや斬新さを強調していた。

例えばこんな商品だ。

・眼鏡の脇の部分にデータ機能を内蔵した「高機能眼鏡」＝読書の途中で目が本に近づきすぎると、距離の近さを感知した眼鏡が作動し、振動や音声で警告し、目の負担を軽くする。目からの距離をスマホの画面で確認できる。光の変化を感知し、姿勢が悪い場合は注意を促す。子ども向けもあり、値段は約一二〇〇元（約二万一六〇〇円）。

・電動式スケートボード＝リモコン操作と体の重心移動で発進や停止ができる。時速四〇キロまで上がり、一度の充電で二五キロ走れる。一七年から売り始め、軽量化やデザインの多様化や、電池の効率向上を目指している。約三〇〇〇元（約五万四〇〇〇円）。

・発光し、音楽が聴けてGPS機能も備える「スマートスポーツシューズ」＝夜間に音楽を聴きながらジョギングでき、光が出るので安全。防水式で洗える。約四〇〇元（約七二〇〇円）。

・首元に計測器を内蔵した「スマート子ども服」＝計測部分が肌に触れることで、体温や汗、睡眠の状態などがスマホで把握できる。洗濯もでき、使用期間は一年半ほど。

「実は中国の場合、個人情報や安全に関する規制が日本より厳しくない部分もあり、ルールが定められていない分野で開発に挑戦するなら割と寛容な事情がある。『多産多死』の厳しい現実はあるが、こうした面も旺盛な起業精神を後押ししている」。上海の日本貿易振興機構（JETRO）の関係者はこう話す。

駐在員の「新サービス見学」

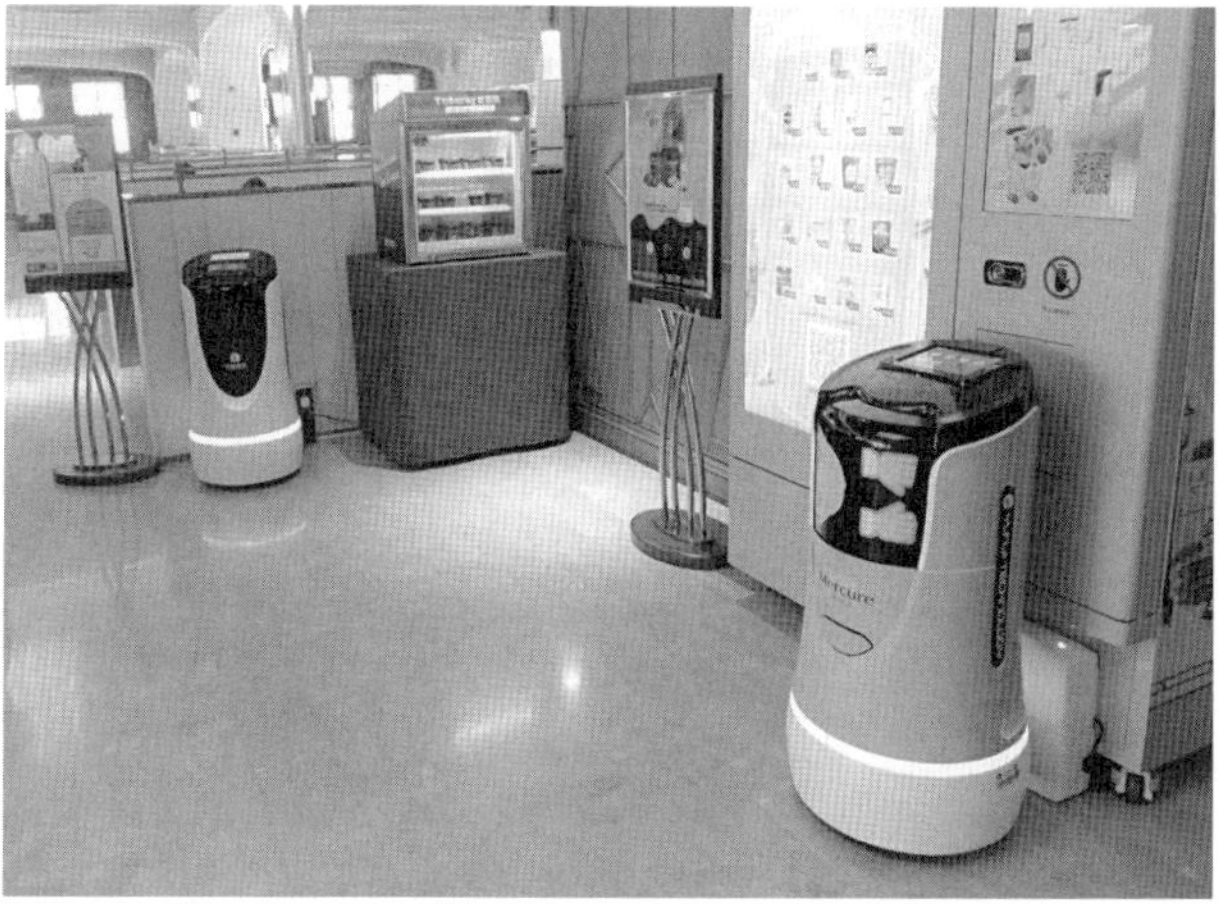

ホテルのロビーで待機するデリバリー用ロボット＝2020年6月

新型コロナウイルスの影響で往来が不便になった上海だが、筆者の駐在時に注目されていたのは、スマートフォンと連動したキャッシュレス自販機や、ロボットを駆使した新サービスの現場の見学だ。「体験したい」という日本のビジネスマンや若者が増え続け、上海在住が一二年を超える亀田純香さんは二〇一七年から三〇回以上、こうした企業関係者らの見学を手伝ってきた。

上海では日々、どんなサービスが生まれているのだろう。亀田さんに同行してみた。

虹橋空港に近いホテルに着いた。ロボットがエレベーターに乗り、昼食を客室に運んでいくところだった。

次々に開店するあちこちの飲食店も奇抜だ。スマホで注文すると、店内に張り巡らされたレールを通じてテーブルに料理が運

ロボットが運んできた料理を取り出す客＝上海市の「ロボットレストラン」で2020年7月

ばれてくるレストランや、スマホをかざすだけでロボットが全自動でミルクティーを作ってくれるカフェも地下のショッピングモールなどにできている。

亀田さんが注目していたのは、主にこんな場所だ。

・アリババグループ系列の「盒馬鮮生《フーマー》」＝一六年にオープンし、「もう家に冷蔵庫はいらない」のキャッチコピーが話題になったスーパー。専用アプリを登録すると会員向けの割安価格で買える。安くて新鮮な海鮮コーナーが特徴で、デリバリーや店内での飲食などに対応する。

・アリババグループ系列の「ロボットレストラン」＝一八年二月に上海市嘉定区にオープン。注文から決済まですべてアプリで完了。注文した料理は全自動のモバイルカーで運ばれる。
・アリババグループ系列の「ピッキン・ゴー」＝アプリを登録し、前もってメニューを注文し、できた食事は店員が店頭の棚に入れる。客は店の通りがかりに指定の棚を開き、食事を取り出す。スマホ決済なので注文から支払いまで待ち時間がゼロ。地下鉄駅の人通りが多い場所に立地している。
・ロボットアームカフェ＝QRコードをスキャンし、豆や糖度を選択してアプリで注文し、ロボットがコーヒーやカクテルを提供する。
・大手IT企業、テンセントが協力するカルフール＝セルフレジ、スマホのQRコードのレジ、顔認証レジの三レーンのいずれかで料金の決済ができる。店内の至るところにQRコードがあり、スマホでこれをスキャンすると専用アプリがインストールされ、無人レジが利用できるようになる。

このほかにも無人カラオケボックス、無人書店、無人図書館、無人銀行、無人フィットネスジム、無人音楽スタジオ、無人理髪店などが次々にできている。亀田さんは「できるだけ見るようにしているけど、数えきれません」と話す。

新サービスは便利だが、実際には実用化までに一定の時間がかかっている。開発企業はまず客の少ない郊外の店でサービスをテストし、利用傾向や売れ行きなどの感触をつかんでから徐々に繁華街に広げていく傾向があるという。

「上海の各地で試行錯誤されている技術は確かに優れていますが、効率や運用面ではまだ課題があります。個人情報の扱いがより慎重な日本で即座にそのまま導入できるとは限りませんが、チャレンジ精神は旺盛です」と亀田さんはいう。

駅やホテル、道路で突然見慣れないものが姿を現す。こうした驚きの連続も、この街ならではだ。

日系企業の上海視察

シェア自転車、タクシーアプリ、スマホで注文するデリバリーサービス、無人コンビニ、食事を運ぶロボット――。こうしたサービスは、中国のほうが日本より早く導入していた。その時間差は、筆者が駐在していた時期でも三、四年ほど中国のほうが先行している印象だった。帰任後に、日本で「初めて導入された」と報じられたりして、既視感を覚えたこともよくあった。

上海では、スマホと連動した新たなサービスをあちこちで目にする。新型コロナウイルスの感染が広がるまで、日本企業関係者の現地視察は増え続けていた。

アリババのアリペイやテンセントの微信支付《ウィーチャットペイ》の使い勝手や、店の無人・省力化の実情を知ろうと、九州や四国で展開するスーパーの幹部社員約一五人が二〇一九年九月、上海を視察した。一部に同行し、印象を聞いてみた。

このスーパーは一八年まで、海外研修の行き先は米国だった。店内や駐車場の配置や冷凍保存法を参考にしてきたが、日本ではキャッシュレス決済への関心が高まり、客の高齢化もあって軽トラックによる移動販売やインターネット注文の需要が年々増えてきていたという。

こうした事情から視察先を上海に切り替えた。

上海で銀行の駐在員からレクチャーを受け、「盒馬鮮生」や日系コンビニエンスストアの中国オフィスなどに足を運んでいた。大手スーパーでは無人レジ決済を試し、配送システムや静脈認証の自販機などを見て回っていた。

静脈認証の自販機＝上海市、2019年

店の商品の値札にスマホをかざすと画面に商品情報が表示される機能や、値段を素早く読み取るセルフレジ、店内の清掃や宣伝を手がけるロボットに驚く社員も多かったが、実際に導入できそうかと聞いてみると首をかしげた。

システム立ち上げや維持、商品配送にはかなりの人手やコストがかかる。

中国ではスマホの画像だけを見て商品を注文する人は多いが、日本人は実際に手に取らないと信用しないという傾向の違いもあるという。

社の幹部は「スーパーは日進月歩で変化している上海のようなシステムの導入を早々としてしまうと経営判断を誤りそうな気もするが、かといって後手に回ると乗り遅れる。タイミングを見極めるのが難しい。キャッシュレスの対応が必要なことは十分理解できた」と振り返った。

中国の新技術がメディアで伝えられる機会は増えているが、「こうしたサービスを日本での生活に仮にそのまま導入したとして、一体どれほど役立つのか」と考えてみると理解に苦しむ機能も実は結構ある。先の「無人コンビニ」などもコストがかかるし、機械化しすぎてもかえって非効率に思えたりする。中国企業も試行錯誤の最中で、日本側としては長所短所を冷静に見極め、タイミングを計る必要があるのだろう。

このスーパーの幹部は「定点観測が必要だ」と語り、折りを見てまた来たい、と話した。コロナ禍でも、こうしたサービスは進化しており、長所や短所は継続的に関心を向けるに値するのではないだろうか。

中国内で最多の在留邦人

上海やその周辺は中国の中で、日本との結びつきが特に強い地域だ。上海市、江蘇省、浙江省、安徽省、江西省を管轄している上海日本総領事館によると、この地域の登録在留邦人数（三ヵ月以上の在留）は筆者が駐在していた時期は約五万七〇〇〇人。上海市だけでは約四万四〇〇〇人だった。

中国国内の在外公館別で見ると、上海の管内には在留邦人が最も多く、多い順に香港、広州、北京、大連、青島、瀋陽、重慶――と続く。上海総領事館の管内で近年最も多かったのは上海万博（二〇一〇年）の後だ。二〇一二年に約七万九〇〇〇人に達したが、その後は減る傾向にある。新型コロナの影響で当面はこの傾向が続くかもしれない。

上海の総領事館管内の日本人の数は、在外公館別では世界五位の規模だ。また日系企業の拠点は管内に二万、上海市に一万あり、世界で一位だ。日本人学校の生徒数では上海市に二二〇〇人おり、世界で約九〇ある日本人学校の中でバンコクに次いで多く、世界で唯一高等部がある。

筆者の感覚では、上海にいる日本人の多くが日系企業の駐在員とその家族で、あとは上海の地元企業で働く人や起業家、留学生などだった。

上海の中心部から見ると浦東新区などの東側は金融街で、長寧区といった西側や郊外には工場が多く立地し、大学は割と郊外が多い。それぞれの業種に応じて住む場所は違っている。なので在留邦人の間でも暗黙の経済的な格差があり、住んでいる場所や家賃の額を聞くと、その人の生活ぶりが想像できたりもした。

トラブルはネット炎上の原因に

上海で生活するなら、外国人は当局の監視の対象になっていると考えたほうがいい。平穏に過ごそうとしても、予想外のことが何かと起きる。

「上海交通警察が信号無視の日本の男に激怒」

二〇一九年四月、中国のネットでこんなニュースが流れた。上海で日本人男性が信号を無視して交差点を横断し、それを上海の交通警察が注意した。男性は日本の公館との関係を示唆しながら懲罰を拒否したという。

これに対して警官はこう怒った。

「たとえ公館の職員でも例外ではない。中国の法を尊重して謝れ。ここはもう一〇〇年前じゃないんだぞ」

この警官の態度が大いに賛同を得た、という内容だった。

こんなやりとりが実際にあったのか、どういう人物なのかは結局確認できなかったが、このニュースはあっという間に写真入りで拡散した。

もしこれが日本なら、その場で注意されて済んだかもしれない。

これを見た時、こう思った。

「ここでもし自分が当事者になったら、どんな形でネットに掲載されるかわからない」

上海の街頭では、ほぼ全員がスマホを持っている。日本人が不審、あるいは不自然な行動を取れば、どこでどう撮影され、拡散されるか分からない。そうなれば、正当に反論したとしても外国人は明らかに分が悪い。またいったん流れてしまうとネット情報を消すこともできない。駐在員やその関係者の場合、こういう事態が起きてしまうと多くの面倒が待っているのは間違いない。

実は筆者もこんな体験をした。

ある日、地下鉄に乗って座っていると、横に座っていた中年の男が大声で電話をし始めた。あまりに大きな声で長時間話しているので「静かにしてもらえないか。あなたの態度は節度がないと思う」と苦言を呈した。

この言葉を聞いて、男はみるみる機嫌を損ねた。「お前は一体何者だ」。「日本人だ」と言うと、地下鉄の車内で激しい剣幕で怒鳴り始めた。たまたま近くにいた気の良い女性が間に入り、「おそらくこの男は上海の地元の人ではなく、上海人とは感覚が違う。とにかくここは次の駅で降りて早く立ち去りなさい」と言う。急いで次の駅で降り、大事に至らずに済んだ。親切な中国人がその場をとりなしてくれた。

この話をしたら知人はこう指摘した。「もし事が大きくなって警官が来たり、その場面をスマホで誰かに撮影されて、その画像を拡散されたらきっと大変なことになっていた。その影響の大きさを考えたら、立ち去ったのは正解だった。今後は面倒になりそうなら、とにかくそこから離れたほうがリスクを避けられるはず」

人通りの多い場所でもめ事を起こしてしまうと、ネットでさらされて一気に不利な立場に追いやられることになる——。在留邦人の多くはビザを取り、当局に届け出て駐在している。こうした問題が起きれば派遣元の組織の手を煩わせるのは必至だ。

こうした緊張感はその後もずっと消えることがなかった。これは筆者に限らず、多くの駐在員にも当てはまるのではないだろうか。

「小さな危険」への目配り

まだ往来の不便がなかった二〇一九年、上海日本総領事館の職員の間で「この先増えるかもしれない」と話題になっていた問題がある。「高齢の日本人が引き起こすトラブル」だ。せっかく上海に来たのに、思わぬ事態が起きていた。

いずれもこの年に対応した七〇代男性のケースだ。

・妻と団体旅行の自由行動中だったが、間違ったバスに乗り込んでしまい行方不明になった。浙江省寧波で無事発見されたが、旅券やカメラなどの所持品を紛失していた。男性は認知症が予想以上に進んでいた疑いもあった。

・出張中にバッグに入れた旅券を紛失し、同行者の不手際と思い込んでしまった。紛失の届け出や出国手続きを終えた後になって、ホテルの自室の荷物から旅券が見つかった。

・日本で困窮状態だったが、友人の支援で片道航空券を買い、ビジネス目的で訪中したが、取引先が見つからなかった。結局、友人の手助けで帰国した。この人は中国で働いた経験があり「中国に戻れば何とかなる」と思い込んでいた。家族と疎遠な状態で、職員の対応は難航した。

「日本社会の高齢化を反映しているせいか、この年になって目につき始めた」と担当職員は懸念していた。

さらに上海の公安当局者が「日本人に多い」と懸念するのが「飲酒時のトラブル」だ。酔った中国人から「なぜ日本人がこんな所にいるんだ？」とけんか腰でからかわれて口論になり、事件になった例もある。物品破壊や無銭飲食の拘留も確認されている。

また「上からの脅威」にも注意が必要かもしれない。

ある夜、筆者が上海料理店で友人と食事をしていると、店内に「バーン」とごう音が響いた。跳び上がって隣のテーブルを見ると、太い金属棒が落下していた。天井から突然外れたらしい。テーブルが一つ違えば自分の頭を直撃していたかもしれない。店員は何事もなかったように片付けていたが、背筋が凍りついた。

こうした落下物は店の中だけではない。大都市を中心に、高層オフィスや集合住宅の周

上を向く監視カメラ＝上海市内、2020年

辺でも頻発している。設置物が突然取れたり、住人が窓から物を投げたりしているのだ。

中国メディアによると、落ちてくるのは花瓶やレンガ、リンゴ、ヨーグルトの瓶などさまざまだ。家庭内トラブルで逆上した男が、一四階の窓からスマートフォンやパソコン、果物ナイフを投げ、下の車を直撃したことも。作業員が二二階で空調機器の設置中に落とした部品が三歳の男の子の頭に当たり、重体になったこともある。

凶器にもなる落下物だが、危険が増す背景の一つに建物の高層化がある。八階（二四メートル）以上が約三五万棟、一〇〇メートル以上も六〇〇〇棟余りと、中国は世界一の規模だ。最高人民法院（最高裁）は一九年一一月、物を投げ落とす行為を犯罪と位置づけ、刑事責任を問うことを明確化した。高層ビルや工事現場のそばを日々歩く身としては、「上」からの脅威は気が気ではない。

この対策で効果を発揮しているのが監視カメラだ。

筆者の自宅近くにも監視カメラは多かったのだが、なぜか上向きのものがあった。おそらくこの落下物の対策だ。このカメラが機能し、実際に違法行為が多く発見されている。監視カメラは至る場所に設置され、上海で大きなテロや事故が報じられることは近年まれだ。だが在住者はもちろん、不慣れな出張者や旅行者は特に「小さな危険」への目配りが欠かせない。

駐在員を悩ませる「魔都」

上海の在留邦人で最も多いのが、日系企業の駐在員だろう。上海には約二四〇〇もの会員がいる「上海日本商工クラブ」がある。主要日系組織が入居する「上海国際貿易中心」にオフィスを構え、定期的に会合や講演会や懇親会などを開いている。時折筆者も参加したが、メーカーや商社、金融、運輸関係に加え小さな事業所もあり、「ここまで駐在の業種が幅広いのか」と驚いた。

駐在員同士で親睦を図ろうとするのだが、あまりにも業務の内容が違うので、せっかく知り合っても話題がかみ合わないことも珍しくなかった。かつて駐在した北京よりも分野は多種多様だった。

上海には多くの駐在員が集まる。近年は企業のコスト削減もあって駐在員の単身での勤務が増えていた。だがこの傾向に新型コロナウイルスが追い打ちをかけ、多くの駐在員は一時帰国も不便な状態を長期間余儀なくされ、日々ストレスを抱えながら上海で業務を続けている。

上海と言えば、古くて新しいトラブルが「ぼったくり」だ。総領事館には時折被害の情報が寄せられ、職員は日常的に被害の対応に追われていた。上海で駐在員がよく宿泊する花園飯店といった著名なホテルには、注意を呼びかけるチラシが置かれている。

チラシにはこうあった。

「観光地や宿泊先ホテル前での客引きなどには絶対についていかないでください！」

「被害に遭われた方の約八割は出張者や旅行者など当地に不慣れな方です。『狙われている』という気持ちを持ってください」

「客引きが、客をタクシーに乗せて（ぼったくる）店まで向かうケースが多発しています。これは店の場所を特定させない行為です。乗車前に一度冷静に判断してください」

具体的にはどんなケースなのか。

「写真を撮ってくれませんか」。ある日本からのビジネスマンが、上海のシンボルタワー「東方明珠」の近くを一人で歩いていると、二人組の中国人とおぼしき女性に日本語でこう声をかけられた。

撮影に協力すると、今度は「（繁華街の）南京東路を知っていますか？」と聞かれた。親切にそこに連れて行くと、女性たちは上機嫌に「ぜひお礼をしたい」「ごちそうしたいです」と言い始めた。

気をよくして二人が入った店についていき、請求されたお茶代を見た。何と日本円の九〇万円に相当する額が書かれていた。

日本総領事館は二〇一八年末、被害相談が相次ぎ、四万元（約七二万円）の高額被害も報告されたとして、改めて注意喚起した。

手口はさまざまだ。現場は外国人も多い観光・買い物スポットである外灘や南京西路などだ。「安いマッサージ店あるよ」「一緒に食事やカラオケに行きましょう」などと誘われて気分よく店についていくと、屈強な男数人に突然囲まれて部屋に閉じ込められ、クレジットカードの限度額を引き出すよう命じられる。裸にされて旅券を手にする写真を撮られ、「もし警察に通報したらこの画像を暴露する」と脅されたりする。

こうした手口は、実は昔から広く知られている。だが「上海はなぜか特別に事例が多くて、中国では日本の雰囲気に最も近く、つい気を許してしまう旅行者や出張者が多い」（上海の外交関係者）という。一八年から上海で開かれるようになった国際輸入博覧会前には警備が厳しくなり、件数は減ったが、終わった途端に再び増え始め、取られる額が上がったという。

一七年に総領事館が把握した犯罪は一七二件。ぼったくりは被害報告をせずに泣き寝入りする例もあり「少なくともこの三倍は起きている」（関係者）と見られている。

「中国人はたくさん日本に行っているのだから、日本人はもっと中国に来るべきだ」と中国人からよく聞かされた。だが、せっかく上海に来てもこうした被害に遭うのでは足が遠のいても仕方がない。上海に来るなら、やはり油断は禁物だ。

最近では、出会い系マッチングアプリの利用者が狙われる例もあるようだ。日本語や日本に興味がある女性が出会いを装い、南京東路などに呼び出し、連れて行かれた日本料理店やバーで高額の酒などを注文し、数十万円を請求された、といったことも起きている。総領事館は二一年九月、改めて注意喚起した。

「お金くれなくなったら会社に告げ口する」

こうした事例を読まれて、「そういう話はずっと前から知っている」、あるいは「まさかこんなことが」と思われる方は少なくないかもしれない。筆者も上海に来たころはそう思っていた。だが、実際には被害の報告が絶えなかった。ちょっとした気の緩みか、「久々に国外に出たのだから」という下心か、あるいは環境が変わって気が大きくなったとか、一人で過ごしていて寂しくなったとか、さまざまな理由だろう。

次は筆者が上海で当事者から実際に聞いた話だ。

本人は「愚かだった。世間から見れば自業自得と言われても仕方がありません」と反省しきりだったが、単身生活が長く、同じ状況に置かれたら自分もそうなった可能性はゼロではない、と思えたケースだ。夜間の飲食店に勤める女性に約二年間にわたり毎月二万元（約三六万円）以上の小遣いを渡し、その後返還を巡ってトラブルになっていた。

大手有名日系企業の幹部駐在員のMさん。高学歴で見たところとても堅実な印象で、そんな悩みを抱えているのは信じがたかった。

男性は単身赴任。数年前に上海に来て一、二カ月後、偶然入った夜の店で、一人の中国人女性と知り合った。

女性はまずこう話しかけてきた。「上海に来たばかりなら、何か困ったことはない？」男性は来て間もない時期で、「言葉の面で不便がある」と話すと、女性は「週末に買い物につきあうよ」と親切にしてくれた。

必要な日用品を買える便利な店を教えてくれ、店員との値段交渉もしてくれた。「そのお礼に」と一緒に食事をし、夜には女性が働く店に行くようになった。

その後、女性はこの駐在員に、毎月二万元の生活費を求め始めた。「私の家族は故郷のマンションのローンがあり、親の生活の面倒も見ているの。店の競争が激しくなって私の売り上げが減っていて、今の上海のアパートの家賃も払う必要があるので助けてほしい」

二万元はかなりの額だ。「日本円で考えたらまず渡さない額ですが、人民元になると

『大した額ではない』と勘違いしてそのまま渡してしまったのです」という。

そのうちに女性は「お金くれなくなったら会社に告げ口する」と言い始めた。その後、女性に渡した額の返還を求めて上海で訴訟に発展したが、実際に女性に渡した額は一〇〇〇万円近くになっていた。女性はその資金で故郷の内陸部に自分のマンションを購入していた。

「夜の店の中には、日本人駐在員をターゲットにしているところもあり、駐在員から多額を巻き上げる方法がマニュアル化されていて、従業員の間で共有されていたようだ」と男性は振り返る。

こうした「夜の街」を巡るトラブルは上海で後を絶たない。実際には公安当局や日本総領事館に通報があって明らかになるのだが、事を荒立てないために泣き寝入りも相当数に上ると見られていた。額の大きさや、事実が日本の家族に明るみに出て「自殺に追い込まれた駐在員やその家族は過去に何人もいた」という。

「青春代」を求められる駐在員

上海の「夜の街」について、在住が長く、日系駐在員にも詳しい事情通に聞いてみた。この事情通は、上海で生活していくためのさまざまな貴重な助言をくれた。現状について、こんな見方をしていた。

――どんな人が被害に遭ってしまうのか。

「日本での仕事が多忙だったり、技術系とか工場勤務とかで普段あまり外との接触がない駐在員は特に注意が必要だ。日ごろから若い異性と接する機会がない駐在員は遭いやすい。職場の同僚の横のつながりが希薄な人も要注意だ。

また赴任から間もない時期は、まだ土地柄に慣れていないので気をつけたほうがいい。会社や工場の往復だけが続き、なかなか友人ができないとか、趣味のサークルにも入っていないとか、そういう孤独な時にこうした関係にのめり込みやすくなる」

――上海の場合、駐在員が通っていたような夜の飲食店で働いているのはどんな人か。

「あくまで一つの例だが、地方の小さな都市から出てきて、最初は中華料理店で働き、その次に日本料理店に職場を変え、その後に誘われて夜の店で働き始めたりする。あとは『お金がたまるよ』と既に上海で働いている親戚から誘われて上海にやってくる人もいる。中国式の店もあって、そこで働けば給料や料金は高めだが、客からの理不尽な要求も多く、その点日本人向けのほうが仕事はしやすい、と女性たちから聞いたことがある」

――店の中のルールは。

「一カ月の売り上げが一万元（約一八万円）に満たないと罰で給料を減らされるとか、結構厳しい世界だ。いかに客に常連になってもらうかを考えてあらゆる手を尽くしている。

売り上げが上がらないとどんどん地位は落ちていくが、人気が上がると一ヵ月で一八万元（約三二四万円）とか稼ぐ人もいると聞いた。だがお酒を飲み続けるのがつらくて辞めていく人も多い」

この事情通によると、帰任間近になって「青春代」の支払いを迫られる駐在員もいるという。異性側が「貴重な自分の数年の青春時代を費やした」と主張してその対価を要求するのだ。十数年前は一〇万元（約一八〇万円）だったが、近年は三〇万元（約五四〇万円）ほどに値上がりした。この額が六〇万元（約一〇八〇万円）に跳ね上がることもままあるという。

こうした支払いを無視してそのまま帰任しようと空港に行ったところ、「訴訟の被告になっているので出国できない」と足止めされた事例もあるようだ。また日本に帰国後も、専門の業者を通じて行動や居場所を特定され、「督促が止まらないこともあり得る」とのことだった。

こうしたトラブルを避けるためにはどうすればいいのか。事情通は「そうした所に行かないのが一番の対策」としつつも、

「お金を持っている、という素振りを見せない。最初から『お金がない』と伝えてしまう。金持ちと判断されると、ますますお金を要求されることになる」

「必要以外に名刺を渡さない（職場に通報する脅しに使われる可能性がある）」

「安易に住所を言わない（住所で収入や家賃、生活レベルがある程度推定されてしまう）」

「リスクがありそうな店には一人で行かず、事情に詳しい人を同伴する」

「もし被害に遭ったら、総領事館や上海日本商工クラブなどに速やかに相談する」

といった点が大事になる、と教えてくれた。


「上海で毎年三十人以上の日本人が亡くなる」と書いたのは、過去に上海総領事を務めた故・杉本信行氏だ。杉本氏は著書『大地の咆哮《ほうこう》』（ＰＨＰ研究所）の中で、当時の上海総領事館の様子をこう振り返っている。


なかでも上海で特徴的なのは、死亡案件の多さだ。（中略）私が上海赴任となった〇一年から上海だけで毎年約三十人以上が死亡している。〇四年は四十三名の日本人が亡くなった。

上海（中略）はいかにも多い。これは異常な数である。（中略）さまざまな原因があり、自殺もあるし、交通事故や病死が多いのだが、それ以外にある意味でやっぱり上海は特殊と思われる死亡の案件があり、それらの処理には本当に難儀したものだ。

病死のケースでとくに多いのが心臓疾患と脳疾患で、脳梗塞がかなり増えている。多くの企業代表から聞こえてくるのは、上海は企業にとって儲けどころ。毎年売上を二〇%も伸ばし、自慢げに本社に報告すると、競争相手は三〇%伸ばしている、もっと頑張れとかえって叱咤激励が返ってくる。それほど上海は緊張を強いられ、身が持たないとの嘆きの声である。

杉本氏は、〇四年に上海の日本総領事館の男性職員が自殺した時の総領事だった。メディアは過去に、この職員が中国側公安当局関係者から機密情報の提供を強要されていたとの見方を伝えている。

その後コロナ禍が起きて、多くの駐在員が家族と離れて過ごさざるを得ないなど、抱えるストレスは想像するに余りある。駐在員や在留邦人を守るためにも、上海の日系公共機関はそれぞれの事案の概要や教訓を多くの人に告知して、再発防止に努めるべきだろう。

ごみ捨てで罰則も

日常生活で規制は増える一方だ。その一つでかなり重要なのが定期的なごみ捨てだ。中国各地では、「ごみ分別」をより厳格化する動きがさらに進んだ。上海はその先駆けで、いち早く取り組んできた。強制力を伴うもので、こうした取り組みも「中国式」だ。

上海市は二〇一九年七月一日から、ごみ分別を徹底させる条例を正式に施行した。朝七時から九時と夜六時から八時、自宅マンションの一角に毎日、人だかりができる。ベストを着たボランティアが住民が持参するごみの分別を手伝っていた。

条例では、各家庭で「生ごみ」（食品）、「乾いたごみ」（紙類）、「リサイクル」（瓶や衣類）、「有害」（電池）の四種類に分けて捨てることを規定した。ボランティアが置き場で部屋番号を記録する徹底ぶりだ。

応勇《おうゆう》市長（当時）は一八年一一月、訪中した友好都市・横浜市の林文子市長（当時）と会談し、「ごみ分別、減量収集の素晴らしい経験を持っている」と称賛した。上海の幹部はかつて視察で横浜を訪れ、回収ルートなどについて参考にしたという。

上海では導入時、回収容器に分別対象の表示がない不備や分別不徹底も伝えられていた。だが、収容する箱も自動化が進み、「スマートごみ箱」も登場するなど、街の光景は様変わりした。

さらに違反者への罰金も実施された。種類の違うごみを混ぜて捨てた個人に最高二〇〇元（約三六〇〇円）、混ざったごみを運搬した事業者に最高五万元（約九〇万円）を科すとした。当局は違法な捨て方が写真や映像で確認された場合、証拠で採用されるとの見方を示しており、ごみを通じての個人監視も強まった。

市民からは「肉のついた骨は一体どちらに分別すればいいのか」「捨てられる時間帯が

通勤、勤務時間と重なってしまう」といった困惑の声が相次いだ。導入直後、ごみを持参すると、集積場の担当者が「それは何ごみ?」と繰り返し聞くことから、「あなたは何ごみ?」という言葉が流行語になるほどだった。

上海ディズニーランド

上海ではかつて、観光客の行き先と言えば外灘や浦東のテレビ塔の東方明珠、郊外の蘇州や南京、朱家角といった水郷、さらに黄浦江から夜景を見るクルーズ船などだった。数日もあれば一通りのスポットは回れる、とも言われた。だが近年、さまざまな娯楽施設がオープン。中国の大型連休の時期になると、国内各地から多くの観光客が押し寄せている。

その目玉が上海ディズニーランドだ。浦東国際空港からだと約一五キロで割と近い場所にある。二〇二一年六月に開園から五年を迎えた。

ディズニーランドの開発は一九九〇年代、朱鎔基元首相が上海市長だったころの肝いりの事業だ。ディズニー側との約二〇年間にわたる交渉を経て二〇〇九年に建設で合意し、一一年に建設工事が始まった。習近平氏も上海市トップの共産党委書記時代、早期完成を党中央に強く働きかけたとされる。

中国風のアレンジでじわじわと人気が広がり、開園一年目の来客数は一一〇〇万人だった。上海市はディズニーランドを「浦東地域開発の柱」と位置づけ、交通インフラの整備や外国企業からの投資を呼びかける。上海を訪れる日本人にとっては行き先の目玉の一つだ。

ディズニーランドを開発するグループの幹部は一八年末、周辺の地域一帯の今後の開発計画を一部の日本メディアなどに公開した。担当者が案内したのは、この敷地の近くにあり、会議場などで使われている「申迪《シェンディ》文化センター」だ。ビルの屋上に登ると、テーマパークの城が遠くに見えたが、その周辺一帯は広大な緑地だった。

中国国内随一の人気スポット、上海ディズニーランド＝2018年

「周辺には既に音楽ホールやホテル、ショッピングモールを整備した。営業しているのは第一期工事の分で、この周辺の東西南北の緑地を長期的に開発していく」と担当者は意気込んでいた。

開発を手がけるのは、米国の娯楽メディア大手ウォルト・ディズニーと協力し、上海ディズニーランドを運営する「申迪グループ」だ。幹部の邱一川氏は「ここは中国の観光スポットの中で最も人気がある場所になった」と誇示した。

東京ディズニーリゾートの運営方法を一部参考にしつつ、テーマパークをさらに拡充し、一七年には世界の主要テーマパークの上位一〇位入りした。今後敷地内のテーマパークを現状（一つ）から三つにまで拡大していくという。

中心の城は六九メートルあり、世界のディズニーランドで最も高い。上には中国の国花・ボタンがデザインされ、「中国文化と西洋文化の融合」を象徴しているという。敷地内には中国式の建物が見られ、中国服を着たミッキーも舞台に登場し、伝統文化の雰囲気が漂う。グッズや菓子にも「中国色」を取り入れていくという。「常に新しいコンテンツを集めなければリピーターを引き留めることは容易ではない。ストーリー性の向上や最新技術を導入していく」。邱氏はこう語った。

一方、課題は混雑の緩和だ。入場者には専用アプリを利用してアトラクションを回りながら各所の待ち時間を確認するよう呼びかけていた。

ディズニーランドの開業区域は、全体の広大な開発計画のまだごく一部に過ぎない。開発全体の面積は二四・七平方キロで、その中心となるテーマパークの全体の敷地の広さは七平方キロ。このうち北西部の三・九平方キロが既にオープンした。残りは二、三期の工事で開発を進めていくという。住宅地や商業・オフィスビルなどを含めた八期の工事を経て計画全体を完成させる方針だ。計画の先はまだまだ長い。

薄れる「日本人街」の記憶

国際都市・上海にはかつて数多くの日本人が住んでいた。第一次世界大戦をきっかけに日本からの上海進出が進み、一九一五年には日本人が上海に住む外国人のトップになり、多い時には共同租界に一〇万人を超える日本人が住んでいたと言われている。

こうした歴史は『魔都上海　十万の日本人』（NHK取材班編、角川文庫）、『上海時間旅行――蘇る〝オールド上海〟の記憶』（佐野眞一ほか著、山川出版社）、『上海　歴史ガイドマップ』（木之内誠編著、大修館書店）といった本で紹介されている。

こうした本を手に街を歩くと、長年の変化がよく見えてくる。筆者が時折歩いたのは、かつて日本人が多く住んだ虹口《ホンコウ》と呼ばれる一帯だった。このあたりをじっと眺めていると、当時の賑わいが目の前に浮かび上がってくるようだ。

上海市中心部の北東に位置する虹口には、中国の代表的な作家、魯迅（一八八一～一九三六年）にゆかりの深い「魯迅公園」がある。かつて彼が散歩に訪れた場所で、今は墓や記念館がある。

魯迅は酒で有名な浙江省紹興の出身。清の王朝末期の一九〇二年に日本に留学し、宮城

かつて日本の寺院だった建物。長い年月を経てライブハウスになっていた＝上海市虹口区、2018年

県の仙台医学専門学校に在学中に文学を志した。〇九年に帰国し、『狂人日記』や『阿Q正伝』などの作品を残した。

記念館では、魯迅の一生が紹介されている。親交が深かった日本人、内山完造が上海で経営した「内山書店」を再現したスペースもある。現在は東京・神保町にある内山書店だが、かつて上海で日中文化交流サロンとして賑わった。二〇一七年に創業一〇〇年を迎えている。公園近くには魯迅が晩年に過ごしていた家も残る。

魯迅公園から南に寄り道しながら歩くと、数々の歴史スポットが姿を現す。まずゾルゲ事件で死刑になった尾崎秀実《ほつみ》の旧居。そしてその近くには内山書店があった場所や魯迅の自宅、さらにその通りの西側には、日本海軍の特別陸戦隊本部（現在は軍の施設）もある。

四川北路を南に進むと、「横浜橋」と呼ばれる小さな橋があり、少し脇道に入ると海軍兵士らが宿泊したというホテルや西本願寺などが当時の雰囲気を伝えていた。かつての西本願寺は、外観はそのままだが中はライブハウスに生まれ変わっていた。筆者が勤める毎日新聞社の前身である大阪毎日・東京日日新聞社もこの辺にあったらしいが、大規模工事現場になっていて面影はなくなっていた。当時賑わったと思われる劇場も残っていたが、ここは大衆向けのフードコートになっていた。

この近くには、芥川龍之介が診察を受けたという病院の建物や、長崎から毎日送られた日用品が売られていた「三角マーケット」の跡地もある。このあたりはこうしたゆかりのスポットだらけなのだが、近年の都市開発でその記憶や佇まいは年々失われてきている。

南に下ると、かつて「抗日分子」弾圧の牙城として恐れられたという「日本憲兵隊本部」だった建物が残る。中に入ってみると、普通の市民が住んでいた。老朽化していたが、建物の造りは丈夫で、長年住み続けている人が少なくないようだ。

減り続ける日本式建築物

時折、日本の学生らを案内しているという上海の街の歴史に詳しい中国人学者はこう話す。

「第二次大戦後、中国人はこうした『負の遺産』を壊すことはなかった。なぜなら見栄えのいい、しっかりした造りの建物が多かったからです。まず上海で国民党がこうした建物をそのまま使いました。その後共産党の政権になり、格式あるものを同様にそのまま残したのです。社会主義体制なので一部はそのまま共産党が住民に提供しました。つまりこうした古い日本の建物が今も残っているのは、中国人の『実用主義』の名残なのです」

しかし、中国在住の長いベテラン駐在員はやや違う見方だ。

「かつて中国は貧しい時代が長く続いた。庶民が生きていくには、かつて外国人が住んでいた建物をそのまま使うのが最も都合が良かった。今は古い建物を使い続けているが、『さらに良い場所に住める』となったら簡単にそこから離れていくのではないか。だからここの旧日本人街にあるような古い建物は、かなりの部分が遠からず姿を消すことになるかもしれない」

実際この虹口地区は、上海市が急速に開発を進めている「北外灘エリア」に近い地域だ。地元政府は今後、ここをデジタル先進地に変えていく方針を掲げている。高層ビルが相次いで姿を現し、至るところが工事中で、地価も上昇している。地の利もよく、こうした場所は古い建物を残すよりも、大型のオフィスビルや商業施設にしたほうが得なのだろう。

歳月を経て、現在の日本人は虹口地区を離れ、虹橋地区といった別のビジネスエリアに集まり、虹口地区に住む日本人はほとんどいなくなった。かつての「日本人街」は、さらに遠い記憶になっていくのかもしれない。

第2章 「草の根交流」の最前線

ウルトラマンのフィギュア展を見るために長蛇の列を作るファンら＝上海市内、2019年

上海の街を歩くと、至るところで日本の存在の大きさを感じる。かつては一〇万人を超える日本人が住んだ時代があり、距離の近さもあるのだが、日本食の料理屋の数が多く、「日本ファン」がそこかしこにいる。上海は東（日本）から強い風が絶えず当たり続けている街、と言ってもいい。

中心部の商業地では「ユニクロ」や「無印良品」「すき家」といった看板が目につく。普段街を歩いて道に迷い、きっと日本人だろうと思って声をかけたら中国人だった、ということも時々あった。体型を見ても上海人は総じて小柄で、北京や東北人とやや違う。

「日本のいいものは、上海にすべてほしい」

繁華街を行き交う若者や市民らをじっと眺めていると、まるでそんな声がじわじわと耳に響いてくるような気がした。

日本に関する書籍が平積み

上海の書店を歩いてみる。東野圭吾の小説はどこに行っても最も目につく場所に平積みされていた。近年はおしゃれな本屋があちこちにできているが、どこでも日本の小説や漫画が並んでいた。筆者は中国の社会科学系の本に興味があったのだが、それを探すほうが難しかった。

上海の外灘に近い福州路。ここはかつて四馬路《すまろ》と呼ばれた歓楽街だったが、現在は書店街の代名詞だ。通り沿いにあるビルの四階に「松坂書屋」があった。日本のアイドル雑誌、女性誌、漫画、文庫本などを輸入して売っている。二〇一八年五月に訪れると、人気グループ「嵐」のメンバーらが表紙の雑誌が並んでいた。

　北京から来たという女性の張さん（三四）は「友人に勧められて来たが、ここは品ぞろえが別格」と喜んでいた。嵐は中国で二〇～三〇代の女性を中心に人気が高く、日中平和友好条約締結四〇周年の一八年に「中国公演があるのでは」といった期待が頻繁にネット上でささやかれた。二一年六月には、嵐のライブ映画が上海国際映画祭で日本に先駆けて上映されたことからも、その人気の高さが分かる。

日本の雑誌や本が並ぶ上海・福州路の松坂書屋＝2018年

　この店を運営する黄波さん（三九）によると、一〇～三〇代の若者を中心に一日四〇〇人から五〇〇人が訪れる。日本の倍近い値段にもかかわらず、一七年は前年比で二割ほど売り上げが増えていた。

中国では、日本書籍の流通は政治的なテーマを中心に規制されている。一二年に日中関係が悪化した時期には、大手書店から小説の翻訳本が姿を消した。だがその後、関係は少しずつ改善し、女性誌や小説などがそのまま並ぶことが珍しくなくなった。首脳間の交流が進み、相対的に日中関係が安定してきたことが背景にあった。

上海は中国の若者文化の先進地だ。筆者が赴任した一八年は、日本で人気を集める「旬のスター」への熱気が勢いを盛り返していた。

中国では一八年五月中旬、日本の映画『昼顔』が一斉に公開された。主演の上戸彩さんは中国で人気が高く、公演初日には各地の映画館でファンが席を埋めた。日本映画は一七年に四本、一八年はそれを上回る本数が一般公開された。

上戸さんと並び、上海の若い女性の間で人気なのが新垣結衣さんだ。湖南省出身の龍夢《ロンモン》柔《ロウ》さんは、中国のネットで「新垣さんに似ている」と話題になり、一躍注目が集まった。龍さんは一五年、国営中国中央テレビのオーディション番組でグランプリに選ばれたが、その後は上海の大学での学業に専念。しかし、ネットで改めて注目を集めたことで一八年、日中両国で歌手デビューした。龍さんは筆者の取材に「将来は日中をつなぐ役割が果たせれば」と抱負を語った。

格差・貧困本もブームに

中国人が注目するジャンルはエンタメにとどまらない。「格差」や「貧困」などをテーマにした日本の書籍も相次いで翻訳、出版され、異例のヒットになっていた。

中国では米国との対立が激しくなって経済面の先行きの不透明感が強まったうえ、身近では職場でのストレスが増していることなどを背景に、日本が抱える課題が、多くの中国人にとっても身に迫るものとして感じられるようになったようだ。

福州路に近い「上海訳文出版社」。ここは近年、日本の社会派ルポの発掘や翻訳、出版を手がけてきた。NHKの取材班が身寄りのない人たちの死などをまとめた『無縁社会』(文藝春秋)、『女性たちの貧困――〃新たな連鎖〃の衝撃』(幻冬舎)、『老後破産――長寿という悪夢』(新潮社)といった書籍が相次いで中国語で売り出されていた。『無縁社会』は二〇一八年末で一一刷を記録し、いずれの書籍も重版が続いていた。中国では二万部を超えればベストセラーと言われるが、どれも三万から五万部の売れ行きを見せていた。

一九年春、出版社を訪ねた。同社の女性編集者、劉宇婷さんによると、主な読者層は二〇～三〇代のホワイトカラー層。上海にとどまらず、江蘇省南京市や陝西省西安市といった地方の大都市からのネット注文も多かった。

「『無縁社会』が出版された時に私は未婚で、母親がこの本を読んでから非常に私を心配し、『早く結婚しなさい』と迫るようになりました。私自身も読みながら将来に不安を感じ、人ごととは思えなくなりました」

中国でも一人っ子政策の影響で少子高齢化が加速し、「老後」は上海の家庭でも頻繁に話題に上るという。

「本に登場する日本の非正規労働者や未婚女性の窮状は、今の中国以上に深刻に思えました。日本の社会は、二〇年後の中国そのものとも予想されます。中国社会が今後、何に直面し、それに備えて今から何をすべきか。こうした本から見える気がしました」と劉さんは語った。

中国では近年、若者の間で生活費を稼ぐことは容易ではないとの認識が広がってきた。『老後破産』が中国で出版されると、若い世代で特に話題になった。『まるで自分の将来だ』と感じる人が多かったようで、読んだ後に別の二冊を買う人も目立った」という。

同社は当初、米国のノンフィクションの翻訳に乗り出し、日本の書籍もその後、手がけ始めた。『無縁社会』の翻訳出版の話が持ち上がった時には社内で異論は出なかった。同社は昨年秋、三浦展氏の『下流社会——新たな階層集団の出現』（光文社）、大前研一氏の『低欲望社会——「大志なき時代」の新・国富論』（小学館）の翻訳本も相次いで出版した。

また一九年から、岩波新書がシリーズで翻訳・出版されている。「岩波新書精選」と題し、新星出版社（北京）が発行し、これまでには過労死の背景や解決策を探った『働きすぎの時代』（森岡孝二著）や、統計データで日本の格差を論じた『格差社会――何が問題なのか』（橘木俊詔著）が選ばれている。中国では新たな技術革新が次々に生まれる一方、大手やベンチャー企業に勤めるホワイトカラー層の厳しい競争や労働環境が問題になっており、日本での出版から一〇年余りを経て、こうした本が新鮮に受け止められるようになっていた。

中国紙「中国青年報」は一九年二月、『働きすぎの時代』に関する記事を掲載した。世界的にも日本は突出した長時間労働の国だが、今では全世界で広がり、「中国も例外ではない」と伝えていた。

長時間労働は中国で、医者や警察官、教師、メディア、芸能界、IT企業などの間で広がり、特に三〇～五〇代の世代に集中している。一一～一二年の大学などの調査でも、約七割が「長時間労働の問題を抱えている」と答えた。スマホの普及などから、その後も事態は改善されることはない。「今の中国には過労死の医学的・法律的な判定基準はないが、客観的に見て過労死や過労自殺が確実に存在している」と警鐘を鳴らしていた。

日本の事情に詳しい上海の出版関係者は、日本を訪れるたびに書店に並ぶ新書のタイトルに注目していた。「関心がわくテーマがかなりある。新書を含めたノンフィクション翻訳は今後、多くの中国の出版社が参入する分野になる」と見通していた。

こうした本が売れる背景について、中国誌「人民中国」の陳言副総編集長の見方はこうだ。

「中国の経済の状態は不動産が高騰して近年『バブル』とも言われ、都市部を中心に比較的豊かな暮らしを享受してきた。だが一方で、『本当にこれでいいのか』『この状態はいつか終わるのでは』という漠然とした将来への不安を抱く人が増えてきた。こうしたテーマの本が訳されて売れるのは、現代の中国人の心理を反映している」

陳さんは以前に、バブル崩壊後の日本の「失われた二〇年」を紹介する記事を中国で書いた。当時は中国で称賛されたが、近年は逆に読者から「日本の良さは失われていない。むしろ中国のほうが失われている」と批判を受けるようになったという。つまり近年、特に中国側の日本に対する見方が変わってきた。

かつて中国では、日本のイメージで連想するのは文学や経済、またはアニメやゲーム、芸能人に関する情報が多く、主にネットから知識を得ていた。だが、二〇年代後半は多くの中国人が直接日本に行くようになったことで、日本が直面する格差や高齢化、貧困の問題に気づき始めた。偏ったイメージ先行ではなく、リアルで普通の姿がより見えるようになったのだ。

「現実が見え始めていることは歓迎すべきですが、翻訳された書籍が伝える問題について、日本の政府がどう対策を講じたかはもっと中国で伝えられるべきです。日本政府の個別の政策は、中国にとって非常に参考になるのです。中国人は先にネットで読みますが、内容が良く、自分に何らかの示唆があるなら、惜しみなく本を手に取って買う。日本の現実をきちんと伝える書籍の需要が衰えることは当面ないでしょう」と、陳さんは指摘した。

『キャプテン翼』『ウルトラマン』も

コロナ禍の前、上海では日本のさまざまな業界がイベントを企画し、日本グッズの知名度アップを図っていた。いずれも人だかりで、中国人の「質の高い品やサービス」への強烈な飢え、言い換えれば、国内のものだけではまかないきれない、質の貧弱さへの強い不満が伝わってくるようだった。それを満たすことができる最も身近な存在が「日本のソフトパワー」なのだ。会場で喜んでいる若者らの言葉は中国語なのだが、「ここは日本なのでは」と錯覚するほどだった。

二〇一九年七月、人気サッカー漫画・アニメ『キャプテン翼』の魅力を中国に伝える展示会が上海で始まった。数年間に中国の複数都市で開く予定が立てられ、中国が「サッカー強国」を目指す中で、「翼人気」を象徴するイベントだった。

中国では初開催だった。翼が得意のオーバーヘッドキックをする場面がフィギュアで再現され、対決する日向小次郎といったライバルたちのイラストを紹介していた。中国限定の正規グッズも並んだ。

開幕式には原作者の高橋陽一さんら約三〇〇人が集まった。高橋さんは、一八年から一九年にかけ、リメイクされた『キャプテン翼』が日中でほぼ同時期にテレビやインターネットで放映・配信され、若い世代に再び人気が広がったことを受け、「中国でも大変好評を得たということで、とてもうれしく思います」と語った。その場で翼のキャラクターを描くと、中国のファンから歓声が上がっていた。

高橋さんは一九年六月に大阪で開かれた主要二〇カ国・地域（G20）首脳会議で訪日した習近平国家主席にサイン色紙とボールを贈っていた。習主席はサッカー好きとして知られている。

『キャプテン翼』は一九八一年に「週刊少年ジャンプ」（集英社）で連載が始まった。日本の七〇～八〇年代生まれの世代を中心にサッカー人気を後押しした。中国でも二〇～四〇代の間で漫画を見て影響を受けた人は少なくないという。

上海市のカメラマン、陳迪《チンテキ》さん（四一）は「子どものころ、サッカーと言えば『翼』だった。若い世代がアニメや正規の展示で『翼』を見られるようになったのは感慨深い」と声を弾ませた。

二二年一月、上海の新天地に海外初の週刊少年ジャンプにまつわるカフェがオープンしたと伝えられた。中国人の「ジャンプ愛」は勢いづく一方だ。

これだけではない。二〇一九年三月には、ウルトラマンのフィギュアの特別展「ウルトラマン英雄『魂』展」も上海であった。中国では、ウルトラマン映画が無許可で上映されたとして円谷プロダクション（東京都）と中国企業との間で係争になったが、「魂」展は円谷プロも協力しており、中国内で「本家」の存在感を示した。こうした係争が起こること自体が、中国でウルトラマンがいかに身近かを示していた。

「魂」展は玩具メーカー「バンダイスピリッツ」などが主催し、中国での開催は香港に次ぐものだった。執行役員は開幕式で「普段日本でしか見られない規模の見応えある内容になった」とあいさつした。ジオラマやフィギュアなど約三〇〇点を展示し、主に大人がターゲットだ。イベント会場では若者や家族連れが長蛇の列を作っていた。

上海では二一年四月、大型商業施設「ららぽーと」の屋外に人気アニメ「機動戦士ガンダム」の動く実物大像（高さ約一八メートル）も姿を見せている。海外で初めて置かれ、幅広い世代に人気が広がる。筆者もファンに取材したことがあるが、中国人の「ガンダム愛」の深さにも驚かされた。

スタジオジブリの中国進出

筆者が上海に二〇一八年春に赴任して間もなく、宮崎駿《はやお》監督らによる数々のアニメ作品の制作で知られるスタジオジブリの中国進出が本格化した。ジブリの作品はそれまで、

スタジオジブリの展覧会の始まりを前に列を作るファンら＝上海環球金融中心のビル付近、2018年

海賊版が爆発的に普及するという歪んだ状況だったが、「本物」はこの時期になってようやく本格的に上海を起点に中国に入り始めた。中国でのジブリ作品の人気ぶりには、実際に上海に来た関係者も驚きを隠せなかった。

一八年、一人の訃報が中国にも伝えられた。アニメーション映画監督の高畑勲さん。中国各紙は特集記事を相次いで掲載した。高畑さんの作品が中国人に与えた影響が大きいことに加え、この時は中国の李克強首相の訪日を控えたタイミングで、日中関係が改善基調にあることも背景にあった。

七月には、スタジオジブリの魅力を伝える展示会が上海有数の高層ビル「上海環球金融中心」で始まった。長年の働きかけにジブリ側が応じた形だった。

森ビルが手がけた上海を代表する高層ビルで開かれた展示会では、長さ約八メートルの飛行船や、二八五枚のイラストなどが公開された。また一八年は『となりのトトロ』上映三〇周年で、作品に登場したキャラクターゆかりのスペースもあった。

スタジオジブリの幹部は、展示会の開幕式で「二〇〇〇年代に入ってから、年を経るごとに中国で作品への関心が高まっていることを強く実感してきた。三鷹の森ジブリ美術館にも中国から多くの人が来ている。（展示会が）上海から中国全土に広がるスタートになることを願っている」と表明し、中国各地での開催にも意欲を示していた。

この年の一二月には、『となりのトトロ』が中国で初めて正式上映された。日本で一九八八年の上映から三〇周年に合わせ、デジタル版で再編集し、中国の女優、秦嵐さんらによる中国語吹き替え音声も加えられて公開された。

さらに一九年六月に、『千と千尋の神隠し』も中国で正式に封切られ、全土の約九〇〇〇カ所の映画館で公開された。中国では国内で公開できる外国映画の本数に規制があったが、数々の新作の中で、二一世紀に入った直後の「やや古い」作品が改めて上映されるのは極めて異例で、まれに見るヒットだった。上海の大学生は「母親と改めて見た。ネットでも見られるが、支持の気持ちをあえて表明するためにわざわざ映画館に出かけて見た」と話した。

新型コロナの影響で中国とジブリとの関係は滞るが、数々の作品は日本が中国に誇れる

「最強コンテンツ」の切り札の一つであることは間違いない。

中国では、国を挙げての国産アニメの制作が続く。こうした中国側の制作者の中で、ジブリ作品の影響を受けていない人は皆無だろう。

「ジブリのような作品を作りたい」。こう考える人は中国の至るところにいる。だが日本に留学経験のある名門大学の教員は筆者にこう語ったことがある。

「私は日本に行ってみて分かったのですが、こうした優れた作品には国や政治を超える『思想』があります。絵がうまいとか、イラストがきれいだとか、単にそういう話ではない。実は作品づくりに最も大事なのはこの部分なのです。多くの人の心を打つような思想が作り手側の根底にあるのかどうか。それが作品の質を左右することが分かりました。宮崎さんも、ディズニーも手塚治虫もまさにそうです。

でも中国にいると、自分の意見や理想はいろんな規制やルールがあって表立ってなかなか言いにくい。だから現代の中国には世界中に受け入れられる水準の作品がまだなかなか生まれにくいのかもしれません」。

一四億の中国人の中には、幾多の優れた才能が確かに潜んでいる。だが、そうした表現力が十分発揮、表現できる自由な空間が今の中国にどれだけあるのか。今後の中国のソフトパワーの発展は、当局が表現の自由をどれほど容認するかに直結しているのではないだろうか。

相次いだトップアーティストの「上海ライブ」

二〇一九年の上海は、音楽分野では日本との距離が最も近づいていた、とも言える。筆者の駐在期間には、ＲＡＤＷＩＭＰＳや乃木坂46、米津玄師《よねづけんし》、あいみょんといった日本でもチケット入手が難しいミュージシャンやアイドルの訪中が相次いだ。

なぜこうした公演が実現したのか。中国のライブ事情に通じ、企画・調整を手がけてきたキーパーソンで、一連の公演を中国企業と共催してきたアクセスブライト社（東京都）の柏口之宏社長に一九年春、上海で聞いてみた。

柏口氏は一九九一年、セガ・エンタープライゼス入社、後にアクセスブライト社を設立して社長に就任。その後日本と中国を往来し、中国のエンターテインメント事業に取り組んできた。

同社は、中国でスマートフォン向けゲームの配信や日本や中国のアニメや映画の輸出入、日本の小説の中国での舞台化などを手がけてきた総合エンターテインメント企業だ。日本アーティストの公演にも力を入れ、上海の企業「スターグループ」と共催する形で実績を積み上げてきた。

柏口氏によると、中国でのライブを手がけるようになった契機は、新海誠監督のアニメ映画『君の名は。』（二〇一六年八月に日本で公開）の中国での配給権を得て、その約三カ月後、日本公開中だった一二月に中国の七〇〇〇の映画館、五万スクリーンで公開し、五・八億元（約八八億円＝当時）の興行成績を収めたことだった。

『君の名は。』を手がけた新海誠監督は公開前から、中国での評判が非常に高かったという。中国では、中国人クリエイターが絶対に作れないもの、まねできないものが評価される。新海監督の繊細で美しい映像表現は早くから注目されていた。

この作品の音楽を担当したのがRADWIMPSで、ヒットを契機に中国でライブができないか、という話を中国側から受けた。メンバー本人たちも「やってみたい」と前向きで、一七年七月、上海のメルセデスベンツアリーナ（約一万八〇〇〇人収容）で最初の公演をした。

最初は人が集まるかどうか手探りだった。だが中国側は、一般的なアジアツアーの収容数のほぼ一〇倍もの会場を用意した。翌年の一八年七月に上海、直後に四川省成都でも公演した。

その後はこの年にきゃりーぱみゅぱみゅ、一二月に乃木坂46、一九年三月に米津玄師、七月にあいみょんが上海で公演した。米津公演はチケットが最高で一七〇〇元（約三万一〇〇〇円）近い値がつき、わずか数分で売り切れた。

米津氏本人は、上海にいるファンの多くが自分の日本語を理解していたことに驚いたようだった。彼はその場で「また来るよ」と宣言し、中国版ツイッター『微博《ウェイボー》』でも発信するようになった。代表曲「Lemon」などは中国のスマートフォンで簡単に聴けるようになっている。

実際に上海でライブをすると、どんな感覚になるのか。柏口氏はこう話す。

「本人や関係者に聞くと、『来てみたらびっくりした』と話す人が少なくありませんでした。『日本語で歌ってもメッセージや意味がうまく伝わらないのではないか』『歌っても、観衆はただ黙っているだけではないか』と思っていたが全然違う、というのです」

公演を実際にやるかどうかには中国側の厳密な「読み」もあったという。

実は協力者の中国人は、データをかなり重視している。中国でのそのアーティストの「動画や代表曲の再生回数」「中国版ツイッター『微博』のフォロワー数」「私設ファンクラブの数」などを調べ、この数字で興行収益も見通していた。

日本より一〇倍以上のマーケット

こうした追い風の背景について、柏口氏は日中関係の上向きな雰囲気と、中国国内での韓国アーティストの存在感の変化があったと指摘した。

「中国では、韓国アーティストのほうが日本人より断然人気があるのです。その動員規模は一〇倍近くの差があります。例えば韓国のトップアーティストの中国公演なら、五万人を超える規模も可能かもしれません」

女性アイドルに対する中国人のイメージで言うと、日本人は「素人っぽい」「身近」「愛嬌がある」傾向があるとすれば、韓国人は「歌やダンスパフォーマンスのプロ」「近寄りがたい高嶺の花」「高身長でクール」な感じだ。中国人には、後者に魅力を感じる人はかなり多いという。

韓国アーティストは国内市場の小ささもあり、積極的に国外進出した。人気グループのメンバーには、英語や中国語が堪能な人が必ず何人かいて、国外の音楽やバラエティ番組でも直接司会者と会話や冗談を交わせる。こうした積み重ねもあって、二〇一〇年代は中国でも圧倒的に韓国のアーティストが大きな存在感を示してきたという。

しかし、一六年の在韓米軍の終末高高度防衛（ＴＨＡＡＤ）ミサイル配備問題の影響で中韓関係が冷え込むと、影響は文化交流にも及び、韓国アーティストの公演機会が減ったことで、公演に関係していた中国企業も大きな打撃を受けた。

また一方で、中国国内のアーティストも、チケット代の法外な高さが中国国内で批判されたことが重なった。

「こうした時期に日中関係は改善の兆しが見えたので、中国企業はその穴を補う役割を日本人に期待し、出演オファーをするようになったのです」

さらに柏口氏は続けた。

「一二年の日本政府による尖閣諸島国有化で日中関係が悪化し、この影響で中国では日本の文化の空白状態、特に大きな会場でのコンサートがまったく開催されない状態がしばらく続きました。一七年のRADWIMPSは、こうした空白ムードを変化させる効果もあったと思います」

アーティストを抱える日本の事務所のほとんどは、スケジュールやスタッフが急に変更されたりする「中国公演」に好意的なイメージをこれまであまり持たなかった。例えば「日本での人気が衰えたタレントがチケット代を集める場所が中国」という認識だった。しかしネットやスマホの普及もあり、ファンはよりリアルタイムな日本のヒット曲を求めるようになっている。つまり、日本と中国の間で「人気の時間差」がどんどん縮まってきている。

そして、一部の日本の芸能関係の事務所は、中国ビジネスの勉強会を社内で開くなど、中国進出を真剣に研究するようになった。実際、中国は日本の一〇倍以上のマーケットで、チケットは一枚一万円弱の日本よりも高く売れる。また会場も数万人規模から数百人まで数多くあり、アーティストや事務所関係者の側も「中国公演にはメリットが多い」と感じる人が増えた。

「日本のアーティストが継続的に中国に来れば、中国での知名度は間違いなく上がっていきます。この積み重ねで、会場のファンは何倍にも増えていく可能性を秘めているのです」。この時柏口氏はこう見通していた。

実際には、日本の音楽コンテンツの存在感は、「ビリビリ動画」などの中国の動画サイトやテンセント・ミュージックなどの音楽配信アプリなど全体の中では数%にとどまっていた。中国で注目度を上げるには、アーティスト自身の意思疎通の力の向上も必要だという。つまり日本のスタイルの基本を維持しつつ、韓国人のように、中国語も英語も話せるメンバーが重要で、育てる必要が出てくる。言葉ができれば、映画やドラマ、ゲーム、舞台などでの活躍の場が広がる。それを目指す日本の若いタレントも出始めていた。

こうした流れもあり、現に中国で知名度を高めていたのが乃木坂46だった。筆者が駐在中、メンバーを取材する機会もあった。一九年一〇月二六日のメルセデスベンツアリーナでのライブにも足を運んでみたが、まるで日本のライブにいるようだった。

約一万八〇〇〇人を収容するホールが中国人ファンらで埋め尽くされた。二四人のメンバーが中国語で自己紹介し、歌の一部も中国語だった。女性ファンも三割ほどおり、会場の外でファンに聞くと「次は握手会もぜひやってほしい」という声が聞かれた。

一八年のチケットは短時間で売り切れ、手応えを感じた主催者側は一九年、公演を二日間に延長していた。

乃木坂46は上海での知名度を高めるため、一九年九月下旬にCDジャケットの未発表写真や衣装などをファンに公開する「展示会」を企画した。上海市内のデパートに姿を見せたメンバーの一人は、一九年五月に上海に約一カ月滞在し、中国語を勉強していたことを明かした。関係者によると、中国のファンを意識し、中国語の習得に前向きなメンバーは複数いたという。

展示イベントの告知で記者会見する乃木坂46のメンバー＝上海市内、2019年

こうした動きがさらに進むかと思われた矢先に、コロナ禍が広がり、日中の往来は難しくなってしまった。機会は減ったものの、上海にはこうしたライブやイベントのニーズがまだかなり残っている。

音楽家が見る中国人の変化

コロナ禍の前までは、上海を訪れる芸術関係者は後を絶たず、中国社会のスピードの変化や意識の変化をじかに感じ取っていた。中国のマーケットの大きさは魅力だが、同時に自分の存在が約一四億を抱える大陸でどう評価されているのかを知りた

CDにサインするバイオリニストの五嶋龍さん（左下）＝江蘇省無錫市で2018年6月

い、という心境もあるようだった。

バイオリニストの五嶋龍さんに話を聞いた。彼はクラシック音楽の長寿番組『題名のない音楽会』で司会を務めた。二〇一八年六月に上海や江蘇省南京・無錫・蘇州でリサイタルを開いていた。

地方都市での演奏の様子を見たいと思い、足を運んでみた。

無錫市内の大劇院。日本では知名度が高いので満員と予想していたが、上海などとは違って空席もある。小学生くらいの子を連れた家族連れが目立った。

演奏が始まった。中国の名曲「梁祝」やサン＝サーンスのソナタの美しく力強い音色を響かせていた。

だがホールでは気にかかる雑音が響く。咳や私語、スマートフォンの着信音だ。それでも演奏している五嶋さん自身は気に留めない様子だった。

リサイタルが終わるとロビーに姿を見せて椅子に座り、何十人もの子どもたちが手にするCDにサインし、一人ずつ握手していった。列をなして待っていた中国のファンはみんな満面の笑顔だ。

五嶋さんは中国各地を訪れるようになって約一〇年。ほぼ毎年、あるいは年に二、三度来ることもあるという。

五嶋さんは各地での演奏を通じ、中国社会の変化を感じ取ってきた。始めたころは演奏中に聴衆がホールを歩き回ったり、飲食や写真撮影をする人も珍しくなかった。当日に会場に行ってみたら、予定のオーケストラや指揮者が違っていたこともある。「その時と比べれば、今はだいぶ変わりましたね」と振り返った。

地方都市のコンサートホールが増え、聴衆のマナーは明らかに洗練されてきた。楽章間の拍手はしないのは暗黙の了解だが、これも以前より減った。

「中国の音楽には、あまりルールがないんです。音楽にありがちな『日本人だから』『西洋人だから』といった先入観にとらわれず、実は自分が思うように自由に弾けるんですよね」

上海の街中では、ピアノやバイオリン教室の看板が目を引く。「自分の子には早くから一流の音楽に触れてほしい」。そう願う親は確実に増えている。演奏を待ち望む親子は中国各地にまだまだいるのだ。

「かっこいい」女性指揮者

上海の浦東新区にある「東方芸術中心」のクラシック音楽ホールの楽屋で話を聞いたのが、ここを満員にした「イルミナートフィルハーモニーオーケストラ」を率いる指揮者、西本智実さんだ。二〇一八年末、ドボルザーク「新世界より」が多くの中国人を引きつけていた。

上海から七〇〇キロ近く離れた山東省済南市から高速鉄道で来たという音楽教師の女性、宋さんは「素晴らしい。最前列で一〇〇〇元（約一万八〇〇〇円）以上したチケットも高くない」と興奮気味だった。

西本さんは、中国国家交響楽団から「最も魅力的な指揮者の一人」と評されている。中国側の招きで北京などを回っていた。

一〇年から香港を含め中国で四回指揮したが、中国側から特に「熱」を感じ始めたのは一一年ごろからだ。世界各地で指揮をする中で、ホールに中国人の姿が増えていることに気づいた。

しばらくして「ぜひお呼びしたい」と中国側からオファーがいくつか届くようになった。「ニューヨークのカーネギーホールなどで公演した時に留学中の若い中国の方もたくさん来ていたようでした。その人たちが本国で重要な仕事をし始めていることも、中国公演との縁に関係しているかもしれません」

中国のインターネットでは西本さんについて「かっこいい」といった言葉が並ぶ。著名な若手女性指揮者が少ないことも人気の理由のようだ。「中国の人は私の動画やインタビュー記事をよく見ているようです。きれいな日本語で手紙も渡されました」と驚く。ロシアで音楽を学んだ西本さんは「中国の演奏家はロシア系の教育を受けた方が多く、表現が近い。間の取り方の感覚も割とわかり合える感じはしました」という。

中国の将来について、こう見通した。

「日本のマーケットが縮小する中、クラシック音楽は今後、中国でますます発展するでしょう。世界の楽団員の半分はいずれ中国人になるのかもしれません」。この時点で既に次回のオファーが届き、「オーケストラと中国の民族楽器の二胡の音は合いそうなので挑戦してみたい」と抱負を語っていた。

中国の「クラシック熱」は高まるばかりだ。

「小鹿純子」の郷愁

日本の流行に対する中国人の敏感さには驚かされたが、シニア層の間では過去のスターを懐かしむ声も多かった。中国人の心に長く残っていたのが日本の少女「小鹿純子」をめぐる逸話だ。

荒木由美子さん（壇上左）を一目見ようと詰めかけた上海のファンら＝上海高島屋、2020年

コロナ禍が報じられる直前の二〇二〇年一月五日。上海のデパート「高島屋」一階に、赤いカーペットを敷き詰めた特設ステージが作られた。スマートフォンを手にした中国人の若者や家族連れが彼女の登場を待っていた。「本当にあの人が日本から来るの?」。通りがかった買い物客が足を止めていた。

ステージ中央に俳優・荒木由美子さん（六〇）が立った。姿を見た中国人からは歓声が上がった。一九七九～八〇年に日本で放送されたドラマ『燃えろアタック』（テレビ朝日系列、原作・石ノ森章太郎）の主役だ。

バレーボールに打ち込む少女を描いたこの「スポ根」ドラマは八〇年代に中国でも放送され、視聴率は五〇%超と日本を上回ったという。荒木さんが演じたヒロインの名前は「小鹿ジュン」、中国では「小鹿純子」と呼ばれた。中国人の五〇代以上の多くの人たちの記憶に刻み込まれている名前だ。

「皆さんがまだ私を覚えていてくださって、こんな感激はありません。あのドラマを撮影していたころ、私はまだ一〇代後半でした」

予想を大きく上回る歓迎ぶりに、荒木さんは涙ぐんだ。これまで中国のテレビには何度か出演していたが、市民の前に姿を見せたのは初めてだった。「ドラマから四〇年も経って、皆さんの前に立てました」と感慨深げだった。

駆けつけた大勢の中国のファンに当時の思い出を尋ねると、「若い時に髪形をまねしました」「まるで女神だった」といった声が返ってきた。

中国メディア関係者はこう解説した。

「荒木さんの知名度は今、日本より中国のほうが高いはず。日本には素晴らしいドラマがある。でも新しい作品が次々に出てきて、昔の傑作は忘れられていく。中国では『古い友人』を大切にします。優れたものは長く人々の記憶に生き続ける。荒木さんは中国でまだまだ活躍できるはずです」

ジャック・マー氏の招きで中国に

中国で抜群の知名度を誇る俳優、荒木さんが、長い歳月を経て中国を訪れるようになった背景には、ある出会いがあった。

「中国の『アリババ』という会社の社長が、荒木さんに会いたいそうです」

芸能事務所「ハブ・マーシー」（東京都世田谷区）の社長、佐々木昌志さん（六三）の元にそんな連絡があったのは二〇〇二年のことだった。「アリババ?」。佐々木さんは社名を聞いて、イスラム世界に伝わる物語『アリババと四〇人の盗賊』しか思い浮かばなかったという。

その年の秋。都内のホテルで佐々木さんは一人の男性と向き合った。小柄で痩せているが、目は澄んでいる。不思議と器の大きさを感じた。それは電子商取引最大手アリババグループ（阿里巴巴集団）の創業者、馬雲（ジャック・マー）氏だった。

彼は落ち着いた口調でこう話し始めた。

「中国の経済界で活躍する人は、本当に『排球女将』（『燃えろアタック』の中国でのタイトル）に助けられました。僕らは今まで、歯を食いしばって頑張ってきた。それは小鹿純子（中国での役名）のお陰なんです。やっと小鹿純子を探し当てた。何としても本人に会いたいのです」

その熱意は佐々木さんにも伝わってきた。

普通なら、芸能事務所がタレントを特定のファンに会わせることはない。しかしこの時は佐々木さんは事情を理解し、荒木さんに「馬さんに会ってみてはどうか」と投げかけて

み た。

だが最初、荒木さんは前向きになれなかった。

「私はもう芸能の世界から退き、普通の主婦になっていて日本でも忘れられている。まして中国の人が覚えているはずがないでしょ」

荒木さんは「長い沈黙」を続けていた。一九八三年、二三歳の時に一三歳年上の湯原昌幸さんと結婚し、芸能界からは離れていた。

結婚して間もなく、同居していた義母の不調が始まった。結婚一年後に生まれた息子を育てながら、義母の介護にも追われる日々。やがて荒木さんは胃けいれんや円形脱毛症、自律神経失調症を患った。長年の介護の末、二〇〇三年一月に義母は亡くなった。芸能界を引退してから二〇年近くが経っていた。

荒木さんは佐賀県で育ち、ホリプロでデビュー後、一九七九年から放映されたドラマ『燃えろアタック』の主役に抜てきされた。原作者の石ノ森章太郎さんが出演者を選ぶ際に「小柄だが根性がありそう」と推薦したという。

北海道の牧場を駆け回り、上京後はバレーボールの名アタッカーに育っていく少女、小鹿ジュンを演じた。迫力があるシーンの撮影は過酷で、転んで顎《あご》が外れたり、突き指や捻挫をしたりするのは珍しくなかった。気迫の演技が共感を呼び、予定よりも放送回数は増えていった。

放映当時は、八〇年に控えたモスクワ五輪（日本は後にボイコット）での日本女子バレーの活躍が意識されていた。中国では鄧小平指導部が「改革・開放」政策を七八年に打ち出したことから、日本のドラマの放映も本格化していった。『燃えろアタック』にはこうしたタイミングも重なっていた。

八〇年代の中国は、ちょうどテレビが普及し始めたころだ。子どもからお年寄りまで「小鹿純子」の活躍にくぎ付けになった。中国の指導部には、国民に「負けない精神」を普及させ、鼓舞したい狙いもあったのだろう。

『排球女将』の視聴率は当時五〇％超とも言われ、中国では記憶に残る日本のドラマとして『おしん』と並んで今もこの作品を挙げる人は多い。「技をまねしようとしてベッドの上でジャンプの練習をして、壊してしまった」。そんなファンもいる。「あまりの面白さに熱中してしまい、試験前でもこっそり見るほどだった」と話すのは、浙江大学で教鞭をとる夏瑛さん（五一）だ。夏さんはドラマをきっかけにバレーボール、そして日本語に興味を抱き、その後、早稲田大学に留学したのだという。

「小鹿純子」の熱烈なファンの一人が馬氏だった。

自伝などによれば、数学が苦手で大学受験に失敗。本の運送のアルバイトで生計を立てながら翌年の受験に挑戦したが、またしても不合格になった。苦しかった時期に目にしたのが『排球女将』だった。

馬氏は、「小鹿純子」の姿に励まされ、家族の反対を押し切って三度目の受験に臨み、浙江省の杭州師範学院（当時）への入学を果たした。

馬氏はその後、九九年に仲間と協力してアリババを設立。日本のソフトバンクの資金協力も受け、中国で最大のインターネット通販サイト「淘宝《タオバオ》」やネット決済「支付宝」といったサービスを始めた。こうしたビジネスの成功で馬氏は中国随一の富豪に名を連ね、その言動は世界から注目されるようになった。

事業を拡大していた馬氏には、一つの夢があった。それが「日本で小鹿純子に会い、中国に招くこと」だった。

関係者によると、馬氏は尊敬する日本人として、経営の神様・松下幸之助らと並び、「小鹿純子」を挙げていた。その理由について「若者の多くが彼女の姿を見て、不安や苦しさからはい上がることができたから」と振り返っている。

馬氏は六度の来日時のたびに「小鹿純子」が一体どこにいるのか探し続けたが、意外にもその名を記憶する日本人にはなかなか出会えなかった。

馬氏はどうしても諦めきれず、知人のメディア関係者を通じて荒木さんの夫、湯原さんが所属する芸能事務所をやっと探し当てたのだという。

アリババ社員らと記念撮影する荒木由美子さん（中央左）。同右は馬雲氏＝浙江省杭州市、2003年（ハブ・マーシー提供）

アリババのオフィスに「逆立ち部屋」

二〇〇三年の春ごろ、都内のホテルで荒木さんと馬氏は初めて顔を合わせた。馬氏は落ち着きながらも少し高揚した様子で「ビジネスで成功したら、自分のお金であなたを中国に呼んで恩返ししたい、と決めていました。負けない精神を教えてくれたのはあなたです。どれほど助けられたか分かりません」と語った。

荒木さんはその話を聞き、「自分を忘れていない人がまさか中国にいたとは」と驚くばかりだった。中国語は分からなかったが、熱意が伝わってきた。

その年の九月、荒木さんは馬氏に招かれ、佐々木さんらと共に初めて浙江省杭州市を訪れた。当時、中国は重症急性呼吸器症候群

（SARS）の感染拡大が収束した時期。街には横断幕が掲げられ、予想外の歓迎ぶりだった。

まだ小さかったアリババのオフィスの一角には意外な部屋があった。

「逆立ち部屋」

ドラマでは、困難にぶつかった小鹿ジュンが逆立ちをするシーンが描かれた。それを馬氏が仕事に取り入れ、社員にも逆立ちを勧めていたのだった。

馬氏は自身の経営哲学を語った著書などでこう持論を語っている。

「皆が右を向くなら、私は左を向く」「人生はたった一本の道だけではない。時には袋小路に見えても、角度を変えれば大通りにつながる道が見つかる」。逆立ちは、従来の発想を転換し、新たなビジネスのアイデアを考え出すためのものだった。

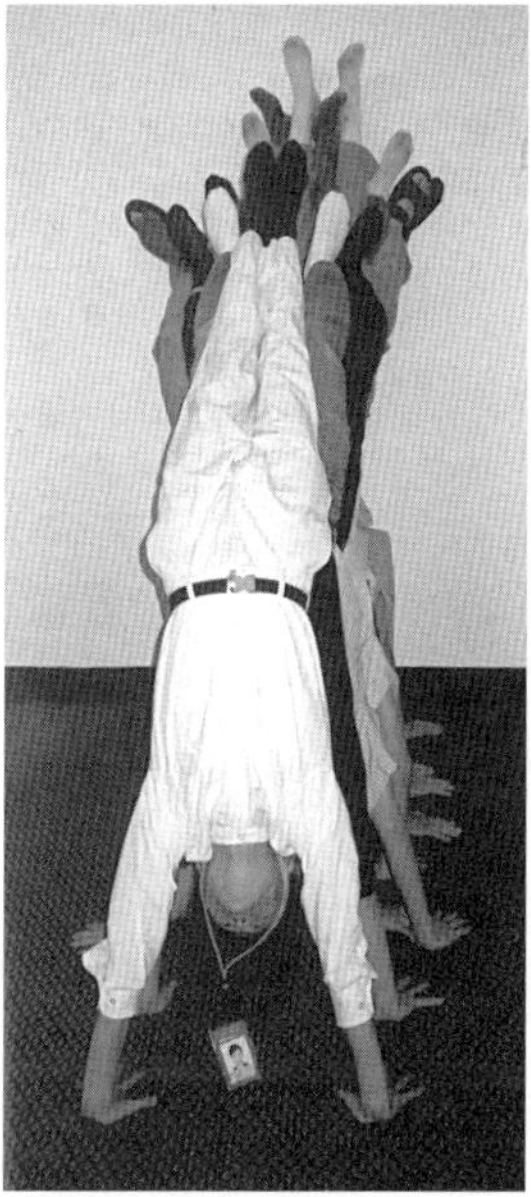
アリババ社屋で仲間と逆立ちをする馬雲氏＝2003年（ハブ・マーシー提供）

荒木さんはそのころ、義母に続いて父も失った時期でもあり、ふさぎ込んでいた。

「引退した自分のことな

ども世間の誰も覚えていないはず」。だが中国人の歓迎ぶりを見て「純子、大人になっても負けるな」と言われた気がしたという。長期の介護は苦悩の日々だったが、最もつらい時に「小鹿ジュン」の姿が力になり「今日も乗り越えよう」と思えていたことに改めて気づかされた。

荒木さんにはこの時、アリババの社員証が渡された。「あなたは社員の一人です。またぜひ活動を再開して、日本や中国で活躍してください」。多くの励ましが込められ、贈られたのだった。

荒木さんの介護体験

帰国してしばらくすると、荒木さんは二〇年近い介護体験をつづり始めた。二〇〇四年、『覚悟の介護』（ぶんか社）を出版。この本は中国語にも翻訳され、アリババ関係者が一〇〇冊ほど購入したという。

本を読んだ中国の友人からは、こう言われた。

「なぜあなたは芸能人をやめたのか。親の介護ならお金を払って人に頼めばよかったのではないのか？　中国人は共働きが普通で、とても信じられない。あまりにも惜しい年月を過ごしたのではないか？」

そう言われても、荒木さんはこの二〇年を前向きにとらえている。同じ事務所にいた山口百恵さんも結婚後は芸能界を去り、家庭に入った。「結婚すれば人気が落ちる」と否定的に言われ、芸能界と家庭の両立は難しい、と考えられていた時代だった。

「でも私はその時、家庭を守りたい思いが強かった。介護経験は予想していませんでしたが、義母と真剣に向き合い、長年続けたことで、自信を持って自分の体験を人の前で語れるようになりました。介護を通して得たもの、学んだことは大きかった」

荒木さんは、日本全国で介護体験を語る講演を始めた。その数は五〇〇回以上。中国で馬氏とテレビで対談したこともある。だが一二年、日本政府による沖縄県・尖閣諸島の国有化で日中関係が悪化。その後、訪中の機会は減っていた。

二〇年一月、荒木さんは上海市内で初めて中国の高齢者施設を訪れ、約四〇人の入所者やスタッフらに語りかけた。

「一人で抱え込まず誰かと話しながら、時々自分にご褒美をあげながら頑張りましょう」

入所者家族の女性が笑顔になった。「若いころ、私はあなたのドラマを見て励まされました」

上海の街を歩けば「ひょっとして小鹿純子？」と声をかけられるほどで、知名度は今も抜群だ。

介護に長く携わってきた荒木さんが関心を寄せているのが、中国の高齢化問題だ。中国では一人っ子政策が長く続いたことで、日本と同じく少子高齢化が深刻化している。中国で認知症を含めた要介護者数は約五〇〇〇万人。介護保険制度は一六年に上海市などの一部の地域で試験的に導入された段階だ。

人工知能（AI）やITを使った高齢者サービスも普及し、各地では健康管理のデジタル化や介護現場でのロボット導入も検討されている。

荒木さんは技術革新が進む一方で、「人同士が直接触れ合うアナログな部分も大切ではないか」という。政治・外交面で、時に波風が立つ日中両国だが、人々の介護の悩みに大きな差はない。経験を話すことで、両国で役立てることが何かあるかもしれない、と荒木さんは考えている。

一時的に往来は難しい状況だが、荒木さんのような存在が、新たな日中の接点を生み出す可能性は大いにある。

日本式カレーが定着するまで

上海では日本料理がますます一般化してきている。日本料理店は増え続け、高級店から庶民の店まで幅広い。いわば上海市民の味覚は「日本化」し、さらにグローバル化したとも言える。

その典型が日本式のカレーライスだ。上海では三〇年ほど前は市民にはなじみの薄いものだったが、ますます家庭や外食で一般化し、中国内陸部で急速に普及している。

ハウスの日本式カレーの試食ブースに立ち寄る親子＝湖南省長沙市のスーパー、2018年

その背景には、日系企業関係者の長年の苦労や工夫、努力があった。上海を拠点に日本のカレーの普及に力を入れてきたハウス食品の関係者に各地の現場を見せてもらった。

二〇一八年一一月、内陸部の湖南省長沙市の大手チェーンスーパー「歩歩《ブブ》高《ガオ》」の食品売り場。スピーカーから大音量の呼びかけが響く。「おいしいカレーだよ。ぜひ無料で食べてみて」。

店頭に並ぶのはハウス食品の「バーモントカレー」や「ジャワカレー」だ。この日の特売価格は一箱九・九元（約一八〇円）だった。レトルトもある。

生まれて初めてカレーを口にした子どもが言った。「いつもより鶏肉やジャガイモがおいしい」。空にした試食用の器をなめ、もっと食べたそうな顔をしていた。

ハウスは一九九七年、上海にカレー専門のレストランを開いた。当時「米を食べる国民はカレーライスを受け入れるはずだ」という狙いだった。当初は「茶色くて明るくない」などと敬遠された。家庭用のルーの開発では緻密な調査を重ねた。

「食の大国」の消費者は香りにも敏感だ。どんな香辛料や薬味が好まれるのか。ハウスの社員たちは上海市民の家庭を訪ね、台所や冷蔵庫の様子を見て回った。街や市場を歩き、漂う香りを探った。

数年の試行錯誤の末、日本のカレーにはなじみの薄い「八角《はっかく》」を加えることにした。これは中国南部原産の常緑樹スターアニスの実から作るスパイスだ。東南アジア料理のような甘く濃厚な香りになる。カレーの色も日本の商品より黄色くした。

「これなら」。中国人たちが口をそろえた。

ハウスが中国で開いた「カレー試食会」は二〇万回を超えた。同社のカレールーが販売される都市は一〇〇を超え、一八年九月には浙江省に三カ所目のカレー工場を稼働させた。

ハウス食品、手探りの中国進出

日本式のカレーが定着するまでの約二〇年をたどると、中国社会の「変化」が浮かび上がる。

名門「花園飯店」など高級ホテルが建ち並ぶ上海の一等地に、ハウス食品が経営するおしゃれな店がオープンしたのは一九九七年一一月だった。この店は二〇三平方メートル、六二席。「上海カレーハウスレストラン」と名付けられたその店舗を任されたのは、九六年に単身で上海に赴任した同社の羽子田礼秀《はねだゆきひで》さん（六四）だった。

米を食べる中国人とカレーライスは相性がいいはずだ、と考えた当時のトップから「中国は人口も多く、やりようによっては大きなビジネスに育つ。三年間、店でテストしてほしい」という指示だった。当面の赤字を覚悟した、手探りの中国進出だったという。

ハウスは中国市場について、次のような見通しを立てていた。世界でカレールー商品が買える人は月収五万〜三五万円の中間・高所得層だ。二〇二〇年にはアジア地域の中間・高所得層の約六割を中国が占めると推計される。カレーを買う層はどんどん厚くなり、一〇億人以上が消費するようになる可能性がある。

同社は既に米ロサンゼルスでカレー店を開き、人気を集めていた。そこに来る客は日本人や中国人、韓国人のほか、アジア人の夫や妻を持つ米国人が多かったのだ。

「パンを食べる米国人にとって、カレーはエスニック料理の一つ。日常的に家庭で食べる料理ではない。カレーはむしろアジア人向きだ」。羽子田さんはそんな印象を持っていた。

「バーモントカレー」や「ジャワカレー」は本当に中国で売れるのか。試行錯誤が始まった。

「食欲をそそらない」。羽子田さんが上海に来たころ、街の人の多くはカレーライスに対し、そんな反応を示した。レストランで雇った約三〇人の中国人らの意見を聞きながら盛りつけを工夫した。カレーそのものを目立たせず、量を多く見せるためコロッケやエビフライを上に置き、ケチャップであえたスパゲティも添えて色鮮やかにした。

日本からの輸送コストが高く、価格は一杯約四二元（約七五〇円）。当時、上海の一カ月の平均賃金が八〇〇元（約一万四五〇〇円）で、かなりの割高だった。

オープンから一〇日間は、日本人客が多かった。上海の在留邦人は数万人規模だが、当時は約五三〇〇人。それでもカレーの味が恋しい駐在員らがうわさを聞きつけてやってきたのだった。

食材にも問題があった。中国内陸部からかろうじて調達した牛肉は硬い。米は古いものしか手に入らず、「まずい」とクレームがついた。米の仕入れ時に異物が交じっていたこともある。

「上海にいる日本人だけが食べて終わりかもしれない」。そんな不安を何度も抱いた。「不安」が現実になりそうだった。

ところが二、三カ月すると、徐々に中国人客の姿が目立つようになった。開店当初の来店客は一日約一〇〇人だったが、このころには倍増。子どもだけに食べさせる中国人の親子連れや、「カレーを食べるために毎日四元（約七〇円）のうどんを食べて節約している」

という女性も訪れるようになった。

大きかったのは、八〇年代の日中の「蜜月期」などに日本への留学経験のある若者たちが、日本で覚えたカレーの味を懐かしがり「また食べたい」と続々と店にやってきたことだった。レストランの評判は口コミで広がり、クリスマスやバレンタインデーにはカップルや芸能人が集まる人気店に躍り出た。店の領収書が、女性をデートに誘う切り札にもなった。

「いける」。羽子田さんは確信した。

だが、ルーの販売を通じて「家庭の味」として受け入れられるまでには、さらに工夫や時間が必要だった。

「八角入り」バーモントカレー

上海市中心部から車で約一時間、工業開発区にハウスのカレー製造工場がある。製品の研究開発を担当する末廣珠美さんが原料の粉末を吟味していた。

末廣さんが中国でカレーの調査を始めたのは二〇〇〇年代前半だ。「食の大国」中国では、高齢者を中心に味に対して保守的な面がある。「どろどろして味が濃い」「塩辛い」などとカレーへの抵抗感は強かった。かといって無縁だったわけではなく、一九～二〇世紀前半、英国人居留地があった上海にもカレーは伝わっていた。ただ、ジャガイモや肉の料理に「黄色いスパイス」として使われる程度だったという。時を経て登場した日本式カレーに、上海人は「カレー粉は黄色なのに、なぜ茶色なのか」と首をかしげた。

香りにも敏感な中国人は、カレーを食べると「香りが強い、弱い」とだけ表現した。その意味をくみ取ろうと、末廣さんらはウコンやトウガラシなどのスパイス、塩や砂糖などの調味料を少しずつ加えながら、試食を繰り返してもらった。

上海の家庭の台所を調査して回ったハウスの社員らは、食材にとどまらず、年収や子の年齢、親の帰宅時間まで細かく尋ねた。すべては「中国人が求めるカレーとはどんなものか」を知るためだった。

その末につかんだ答えが、スパイスの「八角」を加えたもの――だった。東南アジアの市場に漂うような甘くて濃厚な香りが特徴だ。

ハウスは〇四年に現地法人を設立し、〇五年から八角入りの中国版バーモントカレー「百夢多《バイモンドゥオ》」を売り出した。商品名には「たくさんの夢が広がるように」との思いを込めた。売り上げは順調に伸び、六年で一〇倍、一〇年で三〇倍以上に拡大した。ハウスによると、「甘口」が一番売れているが、各家庭で辛い調味料を加えるなど「アレンジの幅が広い」という。

中国では、カレーに使う肉は値段が手ごろな鶏肉が多い。具材ではエビやカニ、ピーマンなども人気だ。

日本政府による尖閣諸島国有化に中国が反発した一二年の反日デモの際も、売り上げに影響はなかったという。この年、ハウスは中国事業での黒字化を達成。近年の売り上げは毎年約二割増と好調で、一八年九月には浙江省平湖市に中国三カ所目になるカレー工場を稼働させている。

ハウス独自の調査では、日本式カレーライスは上海で七〇%、中国全土では三〇%以上の人が知る存在となった。上海など都市部にあるコンビニエンスストアにはカレー弁当が並ぶ。工場や大学で昼食に食べる人は珍しくない。「日本の国民食を中国の『人民食』にしたい」。ハウス幹部の言葉も夢物語ではなく、現実味を帯びてきているようだ。

研究される「中国の味」

有望な「商品」として日本のカレーに注目し、中国で取り扱うようになったのは、日本人だけではない。

上海の北の玄関口・上海駅からさらに北に約八キロ。IT関係のオフィスビルが並ぶ一角に日本の食堂を思わせる店「和番《フーファン》」がある。和食を中心に約五〇種のメニューをそろえる。「日本に留学していた時に初めて食べたカレーの味は忘れられません」。経営者で黒竜江省出身の金龍宇さん（三八）が振り返った。二〇〇〇年代前半、日本の技術の高さに注目して来日、兵庫県姫路市で日本語を習った。専門学校に進んで、東京の飲食店で働きながら、料理や経営手法を学んだ。

苦学をしていた日本で、たまたま食べたカレーライスに衝撃を受け、やみつきになった。「日本で一番おいしいと思ったのは、ウナギとカレーライス。ウナギは高いし、飽きたけれど、カレーは違った」。中国のレストランでカレーライスを出せば、はやるに違いないと考えた。帰国後、約五年前に一人で店を始め、今や中国各地に約二〇〇店舗、従業員一〇〇〇人以上を抱えるまでになった。

上海のこの店では一カ月に一二万食のカレーが出る。人気はカツカレーだ。「中国には無数の都市があり、カレーを知らない人がまだまだいる。そこに店を出せば、間違いなく売れる」と金さんは意気込んでいた。

上海から約一〇〇〇キロ内陸に位置する湖南省長沙市のスーパー「ロータス」でハウスが開いたカレー試食コーナーにも人だかりができていた。カレールーを買い求めた女性会社員、黄卓さん（二四）は「湖南の人はトウガラシ入りのピリ辛料理が好き。でもカレーの辛さはちょっと違う。少し前に初めて食べたけど、その味が忘れられなくて」と話した。

ハウスのカレーを販売している柳利瓜さん（三二）によると、一四年ごろには、長沙で日本式カレーを口にする人はわずかだった。一五年に本格的に売り始め、スーパーで試食会を繰り返すと、わずか三年で約五〇%の人に知られるようになったという。地方都市出身の柳さんは「幼いころの食事と言えば、饅頭《マントー》やトウモロコシ、醤油ご飯だった。時代は変わりました。カレーライスは武漢（湖北省）、重慶でも長沙と同じか、それ以上に広がっています」と語る。

長沙では一六年末、ハウス系列のカレー専門店「ＣｏＣｏ壱番屋」が初出店し、売り上げは好調だ。カツカレー約三〇元（約五四〇円）は長沙の人にはやや高めだが、客足は衰えていなかった。

カレーが中国で受け入れられている背景には、ハウスが一九九七年に進出して以降の中国社会の変化がある。

上海では人々が食事に出られないほど多忙になり、出前アプリ「餓了麼《ウーラマ》」が人気を集める。深夜残業で、伝統的な「三菜一湯」ではなく、シンプルな食事で済ます人も増えた。上海で外食向けルートを担当するハウスの森美幸さんは「カレーライスは運びやすく冷めにくいので、デリバリー用メニューに採用する業者が増えている」という。

一方、中国メディアは二〇一八年、全国の四川料理店が一年で四万店減ったと伝えた。上海だけで三〇〇〇店が店をたたんだという。四川料理といえば辛さが特徴だが、健康志向で、辛さや脂っこさより「うまみ」のある食べ物が好まれる傾向にあるとの分析だ。そんな中、辛さ控えめで「甘口」もあり、子どもが喜ぶ日本のカレーはますます好まれるようになった。

その親たちは一九八〇年代生まれだ。文化大革命などで苦労を重ねた親から体験を聞かされて育った。我が子には多くの人生の選択肢やチャンスを与え、豊かな暮らしをさせたい、という思いが特に強いと言われる。

「カレーへの追い風は、中国の子どもたちが味方をしてくれていることです。八〇年代生まれの親たちが、子どもにせがまれて買っている。『子どもに少しでもおいしくて安全なものを食べさせたい』という親たちの思いが伝わってきます」。中国事業に一五年以上携わるハウスの堂上貴幸さん（四三）はそう話す。

中国のスーパーでは「バーモントカレー」や「ジャワカレー」がカレー売り場の棚で多数を占めるようになった。ただ、中国の消費者の好みの移り変わりは早い。求めるカレーの色や味は年々変化する可能性があると、前出の末廣さんは見ている。

一方、中国メーカーの「黄金カレー」（山東省産）や「安記香カレー」（福建省産）も五年ほど前から店頭に並び始めた。ハウスの「中国の味」が研究され、他社が新商品を開発して売り出せば、その味が定番になってしまうかもしれない。中国ではタイ旅行がブームで、タイカレーを口にする人が増えていることも流動要素だ。

「味の調査は継続が大事なんです」と末廣さんは気を緩めていない。食の大国でのカレーライス作りの試行錯誤は続いている。

一方で近年、中国で庶民に親しまれてきた味が日本に本格上陸する動きが目立ってきた。甘粛省蘭州が本場の「蘭州ラーメン」が日本の各地で食べられるようになっている。筆者も中国での忘れられない味の一つだが、甘粛省の地元政府も習近平指導部が推し進める「脱貧困」の方策の一つとして、蘭州ラーメンの海外進出を積極的に後押しするようになった。

日本で一時期人気が沸騰した台湾の「タピオカミルクティー」も、実は中国での普及のほうが早かった。

「味覚の日中融合」は静かに、少しずつ進んでいる。

今や上海は地方の一都市？

駐在中、こまめに目を通していたのが中国各紙だ。筆者が北京に駐在していた二〇一一年から一六年に比べ、日本に関する報道の量は減った。むしろ米中関係の冷え込みを反映し、対米牽制の報道がかなり増えた。

ただ、日本に関してはその内容はより高度に、専門的になった印象がある。宣伝色が強く受け入れがたい内容も少なくなかったが、日本国内とは違う視点には考えさせられるものもあった。中国メディアは、平成から令和に変わった時期の日本をどうとらえていたのかか振り返ってみたい。

一〇年代前半の北京駐在のころを振り返ると、主に中国共産党機関紙「人民日報」や、華僑などに向けた「人民日報海外版」、人民日報系の「環球時報」「グローバル・タイムズ」、さらに英字紙の「チャイナ・デイリー」や都市報の「新京報」「南方週末」、雑誌では中国外務省が主管する「世界知識」や新華社系の「瞭望」、また日々流れるネットニュースなどに目を通していた。

上海ではやや異なり、上海紙の「解放日報」「文匯報」「新聞晨報」「新民晩報」「労働報」、江蘇省の地元紙「揚子晩報」、浙江省の地元紙「銭江晩報」といった各紙に目を通していた。

だが上海の各紙は北京と比べて「読みにくい」という印象が強かった。北京の各紙は北京を中心に地方ニュースもまんべんなく載せていたが、上海は特に「上海や市当局の礼賛」記事が多かった。上海の宣伝部の影響力が強いこともあったのかもしれないが、上海以外のニュースがとても少なく感じた。上海の地元を誇るニュースが大きすぎて、こちらが知りたい情報が少ない。「上海以外の状況がつかみにくい」と何度も思った。

また、当局の不正を暴露するような独自報道は年々減っていた。習近平指導部のメディアへの管理は強まる一方で、それが上海でも例外なく浸透した、とも言えるのかもしれない。

上海にはかつて、江沢民元国家主席や曽慶紅元国家副主席ら「上海閥」と呼ばれる政治勢力があり、北京の指導部を牽制するほどの強い力を持っていた。だが筆者が駐在したころには市トップの書記には習氏の元部下でもある李強氏が就いており、習氏を脅かすどころか、むしろ掲げた方針を忠実に実行しているようだった。

今や、上海は「地方の一有力都市」といった存在にも見え、上海の政治的な重要度は相対的に落ちた印象だ。メディアをいくら読んでいてもあまり活気が伝わってこなかったのは、そういう事情も一因かもしれない。

そうは言っても、日々目を通すことで見えてくるものはあった。ここでは、日本の現在や将来について、中国メディアがどう伝えていたのか、一部を参考、あるいは引用しながら振り返ってみたい。

若干増えた「日本に学べ」

コロナ禍の前までは訪日中国人は増える傾向にあり、距離感がますます近くなり、中国に伝わる日本についての情報量は圧倒的に増えた。中国からも「現代日本」がはっきり見えてきた事情のせいか、「良いところを学ぶべき」という報道が以前より若干増えた印象だった。筆者が北京にいた二〇一一年から一六年は日中関係が過去になく冷え込んだ時期で、日本に好意的な内容が非常に少なかったので特にそう思えたのかもしれない。

例えばこんな内容だ。

「日本では『ごみ分類』は非常に多く研究されている。捨てる時間も厳格に管理されている。一人暮らしの高齢者や高齢者だけの家庭、障害を持つ人の家には無料でごみを回収する仕組みができている。日本では街中でごみ箱が少なく、みんなが家に持ち帰って捨てるので街中は清潔だ。大きなごみは有料で回収する」(二〇一九年三月、新民晩報)

「屋外の広告をいかに規制するかという点で日本は模範になる。政府は広告の大きさや位置、色まで細かく決めている。特に厳しいのが京都で、条例で規定している。字体の部分でも日本は参考になり、東京や大阪で同じような字体を見つけるのは難しいほどだ」(二〇一九年四月、文匯報)

「次世代新幹線が盛岡駅に。時速三六〇キロで世界最速の鉄道になる」(二〇一九年五月、グローバル・タイムズ)

「日本政府は災害の予防を重視し、災害の予防体制を整備している。防災訓練は実践対応力だけでなく、問題や不足を見出し、防災の理念を大衆に普及させている。各レベルの行政に防災避難訓練を実施するよう働きかけている」(二〇二〇年二月、解放日報)

「世界レベルの空港をどう建設すべきか。東京の例は参考になる。国土交通省が東京の二つの空港（羽田と成田）の成長戦略を決定している。二つの空港の機能は順次調整されてきた。空港をつなぐ交通ネットワークが比較的備わっている。バスやタクシーなどと鉄道が相互に協調しているのだ」（二〇一九年九月、解放日報）

「なぜ日本サッカーはアジアの雄になったのか。日本のJリーグが地域に根ざすことをチームに求め、地域社会を拠点にサッカー文化を育んでいるからだ。また草の根のサッカーを非常に重視し、幼少期からの系統立った選手の育成策があるからだ」（二〇一八年七月、参考消息）

「東京湾には六つの大きな港があり、大量の産業専用埠頭がある。湾岸エリアには膨大な倉庫群があり、大都市圏の三八〇〇万人の高品質なグローバル消費を支えている。湾岸線の九〇%が既に開発されており、多くの人工島もある。埋め立ては江戸時代から始まっており、戦後も膨大な埋め立て計画を実施した。東京湾は『先汚染、後処理』の典型で環境汚染は重大でその影響は今も残るが、汚染のブレーキは早く、徹底していた」（二〇一七年六月、瞭望東方週刊）

こうした内容を見ると、今の中国が近年何に関心を持っているのかが見えてくる。つまり、社会管理システムや技術だ。インフラ建設やデザインなどの創作、ハイテク技術の分野で、日本の長所をいち早く吸収し、自国の発展につなげたい。そのためにはさまざまな手段でこれらを早く手に入れ、都合良く導入したい、という本音が伝わってくるようだ。筆者が北京に駐在していた時期は、こうした具体的な報道はまだ少なかった。中国人の日本に対する見方はより深く、専門的になってきた。

筆者が上海で感じたのは、中国側の「首都圏や東京湾」開発への強い関心だ。中国各地では、複数の大都市で大都市圏化をする構想が語られている。例えば上海地域には「長江デルタ（長三角）一体化構想」があり、広東省と香港、マカオを一体化させて大経済圏を築く「ビッグベイエリア（大湾区）構想」が進んでいる。

中国メディアによると、現代版シルクロード構想「一帯一路」とも連動し、往来やビジネス、物流、教育分野などの交流を盛んにしていくという。

こうした「大都市圏」を日本はどう運営しているのか、この点には強い関心を抱いているようだ。

「日本の災害」も大きな扱い

日本に関する中国紙の伝え方を見ていると、近年の台風被害の報道の大きな扱いが目立った。中国は二〇〇八年に四川大地震を経験し、近年は初夏には毎年のように長江流域で多数の犠牲者や避難者が出る洪水が起きており、被害の大きさは深刻だ。

特にコロナ禍の前は留学や仕事などで日本に渡った中国人が少なくない。こうした人たちは日本の四七都道府県どこにでもおり、安否の面からも異例の扱いになるのだろう。一八年初夏に西日本を襲った豪雨について、中国メディアは写真入りで一面で報じた。

この豪雨の背景について「日本の国土の三分の二が山地で、日本の地質構造の脆弱さが容易に土砂崩れや土石流を引き起こしている。日本の多くの木造家屋は地震には有利だが、洪水や土砂崩れの対応力は劣る。国民の水に対する防災意識の弱さも背景にあり、日本の防災訓練の主流は地震であって、水害や土石流の方面は不足している。豪雨が発生しても、国民の防災意識は地震発生時には及ばない」（二〇一八年七月、解放日報）などと指摘した。

さらに、新華社系の雑誌「瞭望」は一八年七月、「西日本豪雨によって国民の生命や財産に重大な損失をもたらしたことには、教訓があり深く考えるに値する」とし、日本が抱える課題についてこう指摘した。

「日本各地の大量の大きな橋、ダム、堤防、トンネルなどの公共物は高度経済成長期に造られたもので、既に半世紀近く経っている。老朽化問題が出始め、更新が必要な状態だ。投入できる資金も少ない。都市と地方の格差の問題の解決を迫られている。高齢化によって地方の災害対応力が弱り、人手不足の状態だ。これが市民の不安感を招き、都市に人口が流れ、悪循環を形成している。また日本は地震や津波を、豪雨災害よりはるかに重視してきた。日本企業の豪雨災害に対する対応力は他の災害より弱い」

一方で「ただ、日本の防災面では近年構築した情報通信技術などは有用だ」とし、災害物資を運ぶネットワークの機能の面では混乱があるが、教訓になると伝えている。

「災害大国」中国

こうした関心の高さの背景には、中国もまた「災害大国」であり、さまざまなリスクを抱えている事情がある。二〇〇八年に九万人近い死者・行方不明者を出した四川大地震の傷跡は今も残っている。災害に強い都市作りは中国でも重要な課題の一つで、ここでは日本との協力の余地はあるのかもしれない。

筆者が一八年五月に訪れた四川省の様子を紹介したい。

四川大地震から一〇年の節目にあたり、現地には教訓を学ぼうと国内外から見学者が訪れていた。地元政府主導でインフラ整備は進んでいるが、家族を失い、苦しい生活を余儀なくされた被災者の心の傷は深く、複雑な思いを口にした。

成都から車で約三時間。地震で壊滅的な被害を受けた北川チャン族自治県の旧中心地では、倒壊した建物がそのまま保存されていた。建物の下層部分がつぶれ、周囲にはがれきの山が残る。ガラスが割れ、傾いたままの建物も少なくない。見学者は足を止め、敷地内の献花台に花を供えていた。ここに建てられている博物館には、当時の現物が多く保管・展示されていた。

見学者に応対する女性によると、一ヵ月に五万から一〇万人が訪れており、周辺の住民

大地震直後のまま残る建物＝四川省北川チャン族自治県、2018年

や医療・救援関係者のほか国外からも視察に来ているという。一帯は特に被害が大きく、二次災害の懸念から住民全員が移転を余儀なくされた。

地元の共産党幹部は復興ぶりを強調していた。被災地の一つ、石岩村の陳継徳書記（四一）は「地震で村の家は全部つぶれた。だが政府の支援で道路が整備され、畜産も盛んになった。村民の年収は当時の三〇〇〇元（約五万四〇〇〇円）から三倍以上になった」と話した。

だが住民の思いは複雑だった。北川県内に住む女性、任さん（四五）は、地震で夫を失った。「何とか幼い娘たちも学校に通わせられた。ずっとつらくて仕方なかったが、こんなに強く生きられるとは思わなかった」と話す。現地の食堂で働く女性は

「地震直後は政府が支援したが、それだけでは足りなかった。家の修理代は自分たちで払ってきた」と表情を曇らせた。

一方、日本を含む各国の支援も博物館で紹介されるなど記憶にとどめられている。当時の緊急援助隊のメンバーで、自治県を再訪した国際協力機構（ＪＩＣＡ）の糟谷《かすや》良久さん（四九）は「停電や余震が続く中、寝る間も惜しんで支援した」と振り返る。

復興などの状況について、防災計画や地域開発を研究する共産党四川省委党校・四川行政学院の顧林生《こりんせい》研究員（五〇）に聞いてみた。

「被災地は一〇年で、インフラ整備が進んだ。道路や学校が再建され、地震当時ずさんな設計が批判された建物の耐震構造は強化された。この地域は大地震をきっかけに、防災産業の拠点になる可能性がある。

この地域は地震が起きやすく、再び大地震が起きないとは言い切れない。大切なのは防災意識を高め、災害に強い地域や減災に役立つ産業を発展させることだ。

復興を長く支援し続けてくれた日本には感謝している。多くの地方の党幹部が中越地震が起きた新潟県や阪神大震災が起きた神戸市を視察し、その教訓を学んできた。数々の自然災害を経験した日本の技術は我々にとって大いに参考になっている。防災分野は今後も双方が互いの利点を積み上げ、前進できるはずだ」

成都では日本の防災教育施設などを参考にした「防災館」の建設が進んでいた。設立に向けては日本のＪＩＣＡが中国の防災団体に協力した。東日本大震災の際に日ごろの子どもへの防災教育が実を結んだ岩手県釜石市での逸話が中国語版で一七年に出版されるなど、中国では日本における防災の取り組みへの関心は意外に高かった。

中国では近年、ハイテク技術を駆使した地震の早期通報システムの構築や自動体外式除細動器（ＡＥＤ）、ドクターヘリの研究や普及が進む。地形や気候が異なるが、自然災害がもたらす影響の大きさには頭を抱えている。それぞれの事情に即した経験や対策を共有する方向性はあり得るのかもしれない。

日本の少子高齢化を注視

また意外に中国で大きい扱いだったのが、二〇一八年末に日本政府がクジラの資源管理を担う国際捕鯨委員会（ＩＷＣ）を脱退すると表明したニュースだ。日本が国際機関を脱退するのは異例の事態で、中国メディアはこれに敏感に反応していた。米国と足並みをそろえず、日本がこうした既定路線とは異なる態度を示すと、かなり高い関心を示す。

一九年七月、上海紙「解放日報」は「日本の商業捕鯨の再開は経済利益のためだけにとどまらない」との見出しの特集記事を掲載。日本の決断の背景について「自民党の票の基盤には農林漁業関係者が多く、自民党はこれを放棄できない」や「日本は今後、海洋資源の利用や開発へ大規模な（力を）投入し、商業捕鯨の力を海洋資源の開発に利用しようとしている」「海洋大国としてグローバルな政治や経済の分野で主導的な地位を得たいと考えており、商業捕鯨の再開はその第一手だ」と伝えていた。

そして非常に関心が高いのが、日本の少子高齢化問題だ。日本で何が起き、どう対応しているかについて、中国ではかなり多角的に報じられている。中国も同様に高齢化問題を抱える中、「一人っ子」政策にかじを切り、さらに「三人っ子」政策を打ち出した。

中国が今後直面する現実については、『未来の中国年表』（近藤大介著、講談社現代新書）が詳しい。少子高齢化は、労働力不足やシニア層のライフスタイル、結婚難、また引きこもりの問題による労働力の減少などさまざまな問題が連動するだけに、日本の事情も詳しく伝えている。

筆者が中国メディアを見る限り、例えばこんな内容だ。

「日本のネット上で『老人』は『老害』だ。『老害』とは元は思考が硬直化した高齢の人が組織を率いることで、組織の活力が失われることを意味するが、近年は高齢者のマイナスイメージが絶えず増え、『面倒な老人』のことを指すようになった。

世代間で生活の共通基盤が乏しくなり、短時間で分かり合うのは難しい。日本は先進国で、養老の概念が我が国とは非常に異なる。高齢者は自立し、これに『他人に迷惑をかけない』という文化的背景から、自身が子に養ってもらうことを望まない。世代の間の意思疎通が乏しく、家族関係も淡泊で、高齢者の心理的・健康的な問題を引き起こしている。『老害』現象は日本で突出した社会問題の一つだ。我が国も高齢化が加速しており、いかに高齢社会に向き合うか、異なる世代といかに協調、共生していくかという意味で、我々も考えるに値する」（二〇一九年五月、環球時報）

また日本の高齢者について、こう指摘していた。

「多くの日本の高齢者が、一人暮らしや生活困窮で『暴走』し始めている。コンビニで万引きをし、電車賃を払わない。日本の若者は高齢者に対し、『子どもを連れた若い母親が、突然老人から子育てについてあれこれ言われる』『画面表示された券売機の前を占領している』『免許を手放さない高齢者が多くの死傷事故を起こしている』などといった批判の声を上げている。

定年退職した高齢者は主に、一九七〇年代から八〇年代の高度経済成長を支えた世代だ。彼らは『仕事最優先』で懸命に働いた。『終身雇用、年功序列』の日本企業の文化の時代だった。しかし定年になると、『（組織から）もういらない』と言われ、上司や同僚、説教できる後輩もおらず、家や社会から尊重されず、妻子も失いかねない。

『定年の時が離婚の時』というのは日本ではよくあることだ。充実した定年前と落ちぶれた定年後の落差の大きさは、多くの日本の高齢者にとって精神的な打撃になる。多くは一人暮らしになり、社会との交流が絶たれ、病気などで自宅で死亡する例も多い。『孤独』

が多くの高齢者に奇異な行動をさせ、考えを頑固にし、社会秩序に反する行為を引き起こしている」（二〇一九年五月、同紙）と分析した。

高齢者の犯罪や交通事故、空き家の増加を伝える一方で、「日本の介護は、科学技術やネットに過度に依存せず『人対人』を重視している。介護にはぬくもりが必要で、多くの高齢者は機械やロボットより、介護士による介助を望んでいる。こうした方向性は学ぶに値する」とも伝えていた。

IT企業が育たない日本

日本に漂う閉塞感については、同紙は「なぜ日本には象徴的なIT企業がないのか」という視点でも報じていた。こんな内容も目を引いた。

「中国にはBAT（百度、アリババ、テンセント）があり、米国にはGAFA（グーグル、アップル、フェイスブック、アマゾン）があるが、日本は何か？　ソニー、日立といった伝統的な企業はあるが、ネット企業の特徴を持ったサービスには乏しい製造業だ。一体なぜなのか。

新産業を形成するには、パイオニア精神が核心の要件だ。だが日本の企業の内部では新たな考えを持った若者は圧迫を受け、こうした精神を持つ人物は容易に追いやられてしまう。かつてはライブドアの堀江貴文氏も日本のビジネス界から排除され、逮捕されてしまった。

冒険やイノベーションの精神が乏しい原因は日本の文化や保守性によることだけではなく、高齢化もある。日本の労働人口は減り続けているが、高齢者が増えると社会の雰囲気が『守り』になり、『開拓』の発想ではなくなる。日本社会の保守化は進取の精神の不足をもたらしてしまった。

もう一つの重要な原因は消費者だ。消費者が新たな技術やビジネスモデルを受け入れようとすることがIT企業には必要だが、日本はいったん受け入れた良い形をなかなかやめようとしない。ネットの買い物サービスは日本には早くからあったが、多くの人はネットより実体店での買い物を望んだ。消費者が新たなことを受け入れるのが遅いことも、IT企業の増加を難しくしている。高齢化が国内の消費需要を萎縮させ、新興産業の成長環境を悪化させてしまった」(二〇一九年五月)

さらに日本でスマホ決済が普及しない理由について、こんな分析もあった。

「第一の原因は、日本社会は新しい物事を受け入れるのに相対的に時間がかかり、新しい技術や方法などがなかなか順調に普及しないことだ。新しいサービスが登場しても政府や企業など複数の機関によるたくさんの煩雑で複雑なプロセスを経なければ普及拡大できず、効率が低く、さまざまな原因で流れが止まってしまう可能性がある。第二の原因は、日本国民が個人のプライバシーを非常に重視し、(中略)モバイル決済にセキュリティ面で懸念を感じていることだ。高齢化がますます深刻化し、それによってもたらされた人手不足が関連サービスの発展を制約している。日本は配達員の人件費が高く、『注文は簡単だが、配達が困難』という状況になる」（二〇一九年三月、人民網）

　こうした日本の現状を踏まえ、中国も少子高齢化への手を打ち始めている。中国政府が打ち出すようになった「学習塾への規制」も、背景には高額な教育費が人口増にブレーキをかけかねないという政府の懸念があるという見方もある。

　二〇二一年秋には、中国が固定資産税にあたる「不動産税」を一部の都市で試験的に導入することを決めた。習近平指導部は格差縮小をうたう「共同富裕」の実現に向けて強い意志を示している。

「世界知識」（二〇一八年一二月）によると、中国は二〇〇〇年に高齢化社会に入り、六〇歳以上の人口は約二・四億人になり、総人口の約一七％を占める。高齢者人口は〇～一四歳の人口を超え、世界で唯一、高齢者が一億人を超える国になった。しかし高齢化の過程や政府の認識、対策に日本とは違いがあるという。

「日本は明治維新の後、対外開放や工業化、都市化が同時に進み、都市と農村の同質化が実現し、基本的に違いはない。だが中国は先に工業化をした後に都市化し、長期にわたり都市と農村の二層構造で、異なる社会保障システムを実施してきた。一人っ子政策のもと、一九八〇年代に『政府が高齢者を養う』、九〇年代に『政府が高齢者を助ける』、二一世紀に入ると『介護はすべて政府に依存できない』と変化した。二〇一〇年から『二人っ子政策』、一二年には定年の延長を打ち出し、『自ら介護する』という認識が広がった。

中国は『富む前に老いる』状態で高齢化社会に入り、社会保障システムがまだ完全に整備できないままだ。政府の支援は不十分で都市と農村には大きな差があり、都市でも仕事の有無で高齢者の生活もかなり違う。このため中国の高齢化問題は日本よりさらに複雑なのだ」などと指摘している。

高齢者の数がかなりの割合を占める中、舵取りを誤れば、中国政府にとっても統治の安定を脅かす要素になりかねない。少子高齢化対策は、中国にとっても重要課題だ。

「平成」をどう見るか

中国誌「財経」は二〇一九年一月、平成時代を振り返る企画を掲載。日本の現状を主にこう指摘した。

「ITのハード面（半導体や電子部品など）で日本は米国に次ぐ貢献国家だったが、ソフトやビジネスモデルの面では基本的に目立った成果はなかった。政治の面でも大きな進展が見られなかった。日本国民はかつて二大政党制に期待したがそれも失敗し、旧態依然の政治と経済の挫折は国民の心理に重大な閉塞感を生み出した。平成時代は国会議員をはじめ、政治家の資質が下降した。

日本は一九九〇年代は経済が長期にわたって低迷し、九七年から九八年には金融危機が発生し、この時期は政権が頻繁に交代した。しかし社会には三〇年近く大きな変化や社会不安はなかったが、東日本大震災で日本のリスク管理の問題点が露呈した。

日本人は昭和を形容する時、『激動の昭和』という。だが平成は『転変の平成』と言えるのではないだろうか。平成は、明治維新の後に欧米に追いつくという目標は基本的に成し遂げられ、『成熟した発展国家に転換した三〇年だった』と言える」

「少子高齢化」「経済の回復」「自然災害」「新型コロナ対策」。当面日本が乗り越えるべき課題はこうした点だろう。中国にとって日本は歴史的にも存在感が大きい隣国で、こうしたさまざまな面を深く研究している。

こうして見ると、日本にとってはやはり、人口をいかに増やし、若い人材を手厚く、大切に育てていくかがさらに重要になってくる。

二一年の東京五輪でも、中国側は政府幹部ら三〇人余りの視察団を派遣し、コロナ対策などを入念に調査したという。体制に大きな違いはあるが、一方で中国側のさまざまな経験、利点や課題は日本にとっても生かせるものはある。冷静に動向を見極める必要があることに変わりはない。

第3章

「九州の西」上海から日本を見る

米軍嘉手納基地を背に記念撮影する中国人の親子連れ＝沖縄県嘉手納町「道の駅かでな」、2019年

「西西部本社」の駐在記者

冒頭の地図を見ると、上海から東京は直線距離でやや北東方向に一七〇〇キロ余り。そのほぼ中間に九州がある。飛行機では東京まで三時間半ほど、また九州は二時間弱だ。このイメージを頭に入れると、上海の近さが理解しやすくなると思う。

筆者は上海で日々NHKニュースを見ていた。その時に注目していたのが天気予報だ。日本全国の天気図が表示されると、実はその左隅にかすかに上海の位置も入ってくる。日本の天気図を見ながら、上海の天気もある程度分かり、雲の流れも予想できた。日本の多くの場所で雨なら上海も雨だし、日本が高気圧に覆われていれば上海も晴れていた。上海の雨雲や気圧は日本に連なっている。そのくらい上海との距離は近い。

特に上海に来て感じたのが、「九州」や「西日本」の存在の身近さだ。上海にいると、九州や西日本に関係する店や人が多い。不思議なことに、東京からはなかなか知りづらい西日本の動きがとてもよく見えてくるのだ。

上海では九州各県の自治体が「オール九州」という名で一体で活動しており、上海の日本総領事館では中国人観光客の誘致イベントを頻繁に開いていた。

できるだけこうした場を見に行っていたのだが、関東育ちの筆者にとっては、初めて聞く九州や西日本の地名がとても多かった。「こんな場所が日本にあったのか」と驚かされることも珍しくなかった。こうした数々の「穴場」を、そこに行ったことがあるという中国人から教えてもらったことが何度もある。今や日本の地方都市については、日本人より中国人のほうが詳しいのでは、と思えたこともあった。

上海は日本の外なのだが、まるで「九州の西」に住んで生活していたような感覚だ。日本の全国紙は主に東京、大阪、西部本社（主に福岡県が拠点）に分かれているが、上海支局は一人持ち場の「西西部本社」の駐在記者なのではないだろうか、とさえ思えた。

上海から日本の地方都市が見えてくる

筆者が駐在中に注目したテーマの一つが、日本の地方自治体の関係者の動きだ。

実は上海には多くの日本の地方自治体の連絡事務所が置かれている。その動きから、北京では普段なかなか見えなかった「中国と日本の地方都市」の動きが見えてくる。そしてそれは、政府の動きとは違っていた。このあたりが日中関係の幅広さや層の厚さでもあり、興味深かった。

日本の地方自治体に詳しい関係者によると、新型コロナが広がる前の二〇一八年の時点で、上海の日本の自治体事務所は計三〇拠点あった。その約半数が延安西路のビル「上海国際貿易中心」に入居していた。ここでは中国各地の友好都市との交流や首長の往来の窓口、また訪日観光や地元産品の宣伝、それぞれの地元自治体の中国ビジネスの支援、ＳＮ

Sの情報発信などを担っている。
この中で特に上海と縁が深いのが、友好都市、あるいは友好交流関係を結んでいる横浜市（締結は一九七三年）と大阪市（一九七四年）、大阪府（一九八〇年）、長崎県（一九九六年）の四つだ。この関係者は、上海にとって重要な節目に招かれており特に存在感があった。この四つの自治体関係者にいろいろ聞くと、上海の事情や動きをかなり把握することができた。

横浜市は上海市にとって初めての国外の友好都市だった。日中国交正常化（一九七二年）の前年の一九七一年に横浜市から提案したという。八九年に後の中国首相の朱鎔基市長（当時）が横浜市を訪れ、二〇一〇年の上海万博では横浜市が日本産業館に出展した。一一年には職員の相互派遣が始まったという。

大阪市も市長や副市長レベルの相互訪問を重ね、大阪府は八尾市と嘉定区、泉佐野市と宝山区、枚方市と長寧区などといった形で、市や区レベルの友好関係を結んでいる。

また長崎県は、早いうちから上海に訪れていた日本人には長崎の関係者が多かったこともあり、特に歴史的に縁が深い。辛亥革命（一九一一年）を主導した近代中国の革命家、孫文を物心両面で支えた実業家、梅屋庄吉の存在も知られる。

近松門左衛門の人形浄瑠璃『国性爺合戦《こくせんやかっせん》』の主人公で、中国の明の滅亡後に清朝と戦った武将、鄭成功も長崎・平戸の生まれだ。一九二三年には上海と長崎を片道二六時間で結んだ定期航路があった。この点は『上海航路の時代――大正・昭和初期の長崎と上海』（岡林隆敏編著、長崎文献社）などでも紹介されている。

昭和初期には、上海から多くの外国人がこの航路で長崎へ観光に訪れた。三四年には雲仙公園が日本で初の国立公園に指定されたが、避暑目的の欧米人が絶えなかった。長崎の人たちにとって、上海は東京に行くよりも便利で、「下駄を履いて上海へ」と言われるほど身近な土地だった。上海の虹口地区は、まるで長崎の街の一画を移転したようだ、とさえ言われたという。

長崎生まれの白石六三郎は上海に移住後にうどん店を開いたが、これが後に「六三亭」という当時上海では有名な日本料理店になった。一九〇八年ごろ、白石はさらに「六三花園」という蓮やブドウの庭園を造り、孫文や魯迅も訪れ、盛んな交流があったという。

中国政府は日本に六つ（札幌、新潟、大阪、名古屋、福岡、長崎）の総領事館を置いている。長崎に総領事館をわざわざ置いていることからも、中国にとっての存在感の大きさがうかがえる。

地方自治体の「上海詣で」

新型コロナが流行する前の二〇一九年、中国人観光客を増やして地元経済を活性化させたい地方自治体にとって、上海は地元の良さを宣伝する最重要拠点になっており、まるで「宣伝合戦」だった。知事や市長が頻繁に「上海詣で」をし、政府関係者や旅行会社、航空会社などを訪れ、直行便就航の開設を求めたり、地元産品の宣伝をしていた。

筆者はこうした動きに興味があったのだが、首長の上海訪問は多すぎてとてもすべて追い切れなかったほどだ。

そんな中で取材できたのが、佐賀県知事の上海訪問だ。一九年、日本総領事館公邸で宣伝のイベントを開いた。

佐賀県と上海は一二年から、中国の格安航空会社（LCC）の春秋航空の空路でつながっている。一八年だけで四万人近くが利用した。春秋航空の王正華会長夫妻は何度も佐賀を訪れ、交流してきた。

山口祥義知事は「ここ数カ月で福建省、貴州省を訪れた。毎週のように中国に来ている」と語った。佐賀は和牛やバルーンフェスタが人気で、その宣伝を続けているが、タイやフィリピン映画のロケ地としても知られており、アニメや化粧品を通じた魅力作りも進めている、と紹介した。

また知事は、秋の祭「唐津くんち」や潮の満ち引きがある大魚神社の鳥居、京都の清水寺よりも舞台の高さがある祐徳稲荷神社についても紹介し、「外国人旅行者のリピーター

佐賀県の特色を中国側の関係者らに紹介する佐賀県の山口祥義知事（中央）＝上海日本総領事公邸、2019年

率は非常に高い。お待ちしています。佐賀、最高！」とこぶしを握った。

一方、王会長は「家族が病気になれば全部佐賀で治療したい」と応じ、親密ぶりを示した。春秋航空は上海にとどまらず、一九年から陝西省西安と佐賀を結ぶ便も就航しており、つながりは深まっていた。

山口知事はさらに「日本の各地は人口減に悩んでいる。日韓関係も政治的に厳しい状況にあり、佐賀はマルチ戦略でさまざまな国とつきあいを広げていく」とし、「中国の人との交流は親密さの蓄積が大きい。この蓄積が新たな連携を生む。トップが直接中国に来ることで話が進むことも多い。九州の中心に佐賀があり、将来の布石を考えるにあたり上海は素晴らしい位置にある。相互に利益をもたらす関係をどう築けるかが今後の（発展の）

試金石だ」と見通した。

上海日本総領事館によると、一九年に上海市や周辺四省を訪問した首長（知事、市長、町長）は延べ三〇人を超えた。地元の空港を活性化させようと、上海との直行便増便について上海の航空会社に働きかける訪問も目立った。日韓関係や香港情勢が不安定な中、地方自治体の独自外交の現場の一つが上海だった。

その後のコロナ禍で、こうした往来は一時的に滞ってしまった。だが、特に上海に近い位置にある西日本の自治体にとっては、コロナ禍で疲弊した地元経済を立て直すためにどのように中国との関係を再構築するかは今後も重要になってくる。上海に近い自治体ほど、中国や上海の市場の動向は無視できない状況になっている。

ビザ発給でパンク寸前、上海総領事館

筆者が駐在していた二〇一八年、上海総領事館のビザ発給件数は訪日旅行客の増加を反映し、二二五万件を上回った。全世界の三分の一の規模をここで扱う計算で、一日一万ほどの数だった。

ビザ業務を扱うのは、領事館から徒歩で数分の距離にある別棟の領事部の一角だったが、ここの業務量は年々増え、常に「パンク寸前」と言われていた。新型コロナが流行するまでは増加の一途で、職員を増やしても対応しきれず、領事部のビザ担当部門は「領事館内

で最もきつい職場」とされていた。中国の建国記念日（国慶節）など連休前になるとさらに業務量は増していた。

　ビザの発給作業に追われる現場はどうなっているのか。日本総領事館の別棟・領事部を取材した。

旅券にビザのシールを貼り付ける作業に追われる中国の旅行業者ら＝上海日本総領事館領事部、2020年１月

　二〇年一月で、既に湖北省武漢では新型コロナの感染拡大のニュースが伝えられ始める時期に重なっていたが、上海ではこの年の旧正月（春節）の大型連休を前に、旅券のビザ貼り付け作業がピークを迎えていた。習近平国家主席の訪日が予想され、夏に予定されていた東京五輪・パラリンピックも念頭に、日本への注目度は一層高まっていた。当時、旅行業者は「春節の国別行き先のトップは日本になる」と見通していた。

　館内は一六日の昼前、交付されたビザのシールを旅券に貼り付ける作業に追われる中国の旅行業者で混雑していた。机には大量の旅券が積まれ、担当者が一枚ずつ入念に点検していた。

領事館によると、上海での訪日ビザの申請受理件数は一三日の一日だけで二万六〇〇〇件に達し、年間の一日平均水準(約一万二〇〇〇件)の倍以上になった。全世界の三分の一、中国国内公館の四分の三の業務量を占めた。アルバイト二〇人を含む約五〇人が連日深夜まで発給作業に追われ、遠からず電子ビザ申請に切り替え、職員の負担を軽減しようとしていた時期だった。

ここに申請に訪れていた中国オンライン旅行大手、トリップ・ドットコムの担当者は「二〇年は北海道や大阪、京都が人気。北京での冬季五輪を控え、スキー客が増えている」と期待していた。

「地元紹介イベント」の詳しい情報

上海の邦人社会や、日本に関心を持つ中国人が集まる拠点になっていたのが、万山路の総領事館や、上海図書館の近くにある総領事公邸だった。

驚かされたのが、日本各地の地方自治体が主催する「地元紹介イベント」だった。一般の中国人を募って日本各地の土地柄や産品を紹介するのだが、筆者が知らない、行ったことがない日本各地の情報がとにかく多かった。

筆者の手元に、この時に入手した数々の資料がある。西日本に関する情報が多かった。例えばこんなキーワードだ。

「玉造温泉　美肌、姫神の湯　一三〇〇年前から玉湯川沿岸には約四〇〇のソメイヨシノ」（島根県）

「出雲地方の風景と伝統的な日本庭園・由志園」（島根県）

「瀬戸内海物語　探訪之旅、芸術の島でクルーズ船に直島や豊島、女木島、小豆島のエンジェルロード」（香川県）

「潜水捕魚発祥の地、カキ小屋　修験道の山　沿海に建つ竹崎温泉太良町」（佐賀県）

「SL人吉、特快指宿之玉手箱」（JR九州の観光列車）

こうしたところは、親戚が住んでいるとか仕事で異動したとか、移動途中で立ち寄ったなど何らかの縁がない限り、なかなか足を運ぶ機会は少ないのではないだろうか。担当者がこうした街を紹介していると、「私は行ったことがある」と手を挙げる中国人が必ずいて「この場所まで知っているのか」と驚いた。

上海は「西日本の情報がかなり詳しく、まとめて入手できる一大拠点」でもあった。

だが一方で、それだけ各自治体が訪日客に期待し、必死にならざるを得ないほど、日本の地方経済の現実に強い危機感があった、ということだったのかもしれない。

日本のきれいな空気で「肺を洗う」

上海では日本各地の自治体が、競って地元の宣伝を続けていた。こうした効果もあって、訪日中国人はコロナ禍までは増えていく一方だった。「中国人の金持ちはすごく日本に来ている。街の看板の漢字を見れば、だいたい意味が分かる。日本はつまり『ガーデン（庭）』に行く感覚。そのくらい近い。同じ日数があって中国の地方都市で旅行するくらいなら日本に行ったほうがずっと楽しい。怖いのは災害と地震くらいだ」。知人の中国人研究者は筆者にこう語っていた。

また中国では「肺を洗う」という言葉がよく使われた。つまり「日本に行く」という意味だ。日本のきれいな空気で肺を洗う。日本でまず買うのが小銭入れ。普段使い慣れない小銭が必要になるので、まずそれを買い、現金払いで小銭を使い、「一昔前の懐かしさに浸るのが楽しい」のだという。

また、日本に行く上海人が日本で飲んでいたというのがコンビニの牛乳だ。これは何人もが口をそろえた。中国人は中国の牛乳の質は信用していないが、日本の牛乳は「おいしい」という。どこにいても食事がおいしいことに、年配の中国人は驚いていた。

三〇代の上海のキャリアウーマンの独身女性は、父母を初めて日本に連れていった時のことを教えてくれた。

父は地元の党幹部、母は医者だったが、既に定年。関西を中心に京都や大阪にも足を延ばした。「行った先で毎日口にしていたのが卵と牛乳だった」という。日本では味が全然違っていた。

また、父がじっと眺めていたのは高速道路の柱だった。「こんなに太い柱で支えているのか」と驚いていた。街のベンチもきれいだった。ホテルにはトイレットペーパーの予備がある。「どこまでも安心。こんな社会は見たことがない」と話していたという。

母は帰りがけにふと「人生を無駄にした」とつぶやいた。「自分と同世代の六〇代の日本人は、こんなにいい生活をしていたのか。自分たちは文化大革命などで苦労を重ねたのに。若い時、本当は外国にも行きたかったけど、行けなかった」。さらに母親は「これまでの自分の苦労や人生は一体何だったのか」と悔しそうに語った。娘はそれを聞いて、返す言葉がなかったという。

これは上海の一般家庭の少なからぬ人たちの率直な思いかもしれない。

中国メディアの九州取材に同行

「九州」というと、中国語では「中国」を意味する。上海の関係者によると、一〇年ほど前までは「日本の九州」と口にしないと「中国」と誤解されるほどで、知名度は決して高くはなかった。日本の九州が中国人にとって「庭」のような存在になってきたのは、訪日ビザが緩和され、自治体の誘致活動が続くようになってからだ。

「爆買い」が始まった二〇一〇年代前半は、東京や大阪、北海道といった大都市への訪問が多かったが、その後は徐々に上海などから九州に向かう人が出始めた。リピーターは一通り九州を回り終えており、筆者が駐在した一九年ごろになると、上海では新たに四国や山陰地方が注目され、団体ツアーの募集が出始めた。その動きが本格化しつつあった矢先にコロナ禍が始まり、観光客の往来が途絶えたまま二二年に至っている。

コロナ禍が起きる直前には、九州と中国の間では頻繁な往来があった。JR九州によると、九州では一四年ごろから訪日外国人が増え続け、全国に比べても韓国人や中国人の比率が高かった。クルーズ船に乗った訪日が目立ち、一八年には全体の八割を占めていた。だがクルーズ船のツアーは供給過多になって価格競争が激しくなり、運航が調整されて頭打ちになった。一方で個人旅行は増える傾向を見せ始めていた。

九州を訪れる中国人は何が目当てなのか。一九年八月、上海の個人旅行者が頻繁に閲覧する、上海が拠点のライフスタイルメディア「行楽」の動画撮影取材に同行した。「行楽」の女性社長、袁静さんによると、日本の自治体から数多くの誘致の情報が寄せられるが、プチ富裕層の中国人が好みそうな場所を選び、効果的な動画を撮影し、中国向けに発信していくつもりだという。

まずは福岡市で合流した。

撮影スタッフが出かけたのは、天神から博多川にかけて並ぶ屋台だった。足を運ぶと、多くの人が酒盛りをしていた。店に入ってみると、「北京から来た」と話す中国人の個人旅行者がいた。こうしたにぎわいも含め、「博多らしさを存分に味わえることが魅力になる」と袁さんはいう。

福岡市では、街が一望でき、韓国人カップルも足を運ぶ福岡タワーや、きれいな海の風景が見られる糸島などが注目スポットになっていた。

袁さんはこう話した。

「上海の人は九州で『癒やし』を求めています。一昔前は、上海から気軽に遊びに行くとすれば行き先は香港でしたが、いずれはそれが福岡や東京になる可能性を秘めているのです。長い目で見れば、ビザの手続きもスマホで手軽にできるようになるかもしれない。実際、一部の国では中国の信用システムの数値が高いと簡単にビザが取れたりもできるようになりつつあります。

一〇年前と比べれば、九州の知名度は中国で格段に上がりました。蘇州や杭州などでも、どこの旅行会社も九州を扱っている。まずフライトがわずか約二時間。上海から北京に行くような値段で行けます」

さらに九州についてこう話す。

「強みは、鉄道やバスなどの交通が圧倒的に便利で、日本の東北や四国よりもずっと動きやすい。規模がコンパクトなので車を運転しなくても移動できる。この規模感がとても快適なんです。この先デジタルが発展すれば、買い物も郵送できるようになって言葉の壁もなくなります。福岡が気に入って『不動産を買いたい』という中国人も周囲に珍しくありません」

中国人にとって九州は「癒やしの地」

翌日にスタッフと向かったのが、佐賀県の嬉野《うれしの》温泉だ。このあたりは長崎や福岡にも行きやすい中継地でもある。近くの武雄《たけお》温泉駅の観光案内所で聞くと、県内の鹿島市にある祐徳稲荷神社などがタイの映画『タイムライン』(二〇一四年公開)のロケ地になり、その後多くのタイ人が訪れる人気スポットになっていた。周囲はのどかな田園だが、やってくる人はますます国際化してきたという。

近くで桜やツツジ、新緑が見られる地域で、シャトルバスは「任意で一〇〇円」という安さだった。中国国内では有名観光地に行けば入場料は一〇〇元(約一八〇〇円)などもざらなことに慣れている中国人にとっては、おそらく信じられない額だ。

スタッフが撮影したのは、嬉野温泉の緑茶入りの露天茶風呂や、高級有田焼を手がける職人の姿だった。韓国人を多く受け入れていたが、日韓関係の悪化で韓国人が減り、地元経済は大きな影響を受けていた。このため、中国人訪日客の消費に大きな期待を寄せていた。

「このあたりは人口も減ってきて、地元に残って働く人が少なくなってきました。若い子は福岡や東京に出たい。サービス業は人がいないと始まらない。日本のお客さんだけではなかなか大変なんです」。地元の温泉関係者はこう口にした。

次に向かったのが、有田焼の著名な職人の工房だ。入り口には五〇〇〇円を超える高級な器が並ぶ。近年は中国からも客が姿を見せるようになった。

工房によると、中国人が足を運ぶようになったのは上海万博があった二〇一〇年ごろからだ。それまでは日本市場向けに作っていたが、さまざまな器に関心を示しているのを肌で感じるようになった。「中国人はあずき色の器を即決で買う。一〇年前は上海の人で、最近は深圳の人が増え、深圳に（販売の）拠点ができました」という。

「行楽」のスタッフはこう話した。「有田焼の素晴らしさが中国で知られるようになったのはおそらく一六年くらいからです。上海のイベントで試しに並べてみたらすぐ売り切れました。上海では自宅に和室を設ける人も増えていて、おそらくこうした器なら二倍の値でも売れるはずです」

その後、「ギャラリー有田」に並ぶコーヒーカップも撮影した。上海には至るところにコーヒーショップがあり、業界の中で「コーヒー戦争」とも呼ばれるほどだ。「こうした店は、上海人の関心にはまさにぴったり」（「行楽」のスタッフ）なのだという。

後日、スタッフが向かったのはJR熊本駅。観光列車の特急「A列車で行こう」に乗り継いだ。この列車は「三角《みすみ》線」を走る観光列車で、有明海沿岸の絶景を見ながら走る路線とレトロな車体が人気だ。中国では鉄道と言えば、輸送だけが目的の高速鉄道や旧式の巨大な列車、あるいは地下鉄をイメージするので、こうした観光列車を目にすることはまずない。鉄道に乗って楽しむ志向は中国ではまだ少ない。

「こうした観光列車は中国にはまずありません。日本各地のこういう列車は雰囲気が本当に独特で、社内はおしゃれできれいだし、客のマナーも良く、本当はみんな乗りたいのです。時々SNSで発信すると、すぐに『いいね』が大量につきます」（「行楽」のスタッフ）という。

JR九州によると、「ゆふいんの森」や「あそぼーい！」といった観光列車は韓国人の間で人気だったが、近年は中国人の人気が高まっており「毎年数割増しの勢い」を見せていた。

「A列車で行こう」のジャズメロディーを聴きながら有明海を眺める。そして終点の三角駅に着くと、そこからはフェリーに乗り継いで天草地方に近づいた。

ここにスタッフが撮影に来たもう一つの目当ては、「野生のイルカウォッチング」だ。

イルカウォッチングのスポットとして中国でも知られるようになった有明海付近の早崎海峡＝2019年8月

天草地方と島原半島の間の早崎海峡にはイルカの群れが生息しており、定期的に姿が見られる場所はカナダや豪州など世界にも数カ所しかないという。この珍しさを国外の旅行者がSNSで発信するようになると、それを見た多くの人が海外からイルカを見に訪れるようになった。かつては香港人が多かったが、近年は中国人が増えたという。中国で「天草」と言えば「天草四郎」ではなく「イルカが見られる場所」なのだ。

　イルカウォッチングのクルーズ船に乗ってみた。有明海の心地よい海風を受けながら沖に進むこと二〇分。ミナミハンドウイルカの群れが姿を見せた。確かに見ていて飽きない。島原側からも見物船が来ていて、何隻も入り交じっていた。

船には上海から来たという家族連れもいた。企業の幹部だという四〇代の男性は「野生のイルカが見られるなんて本当に珍しい。ネットで調べて福岡から足を延ばしてみたが、息子も大喜び」と満面の笑みだった。

佐賀県の有田駅前で休息していた時、偶然地元の中学生が通りかかった。ヘルメットをして自転車通学する生徒もいる。こうした姿は、確かに上海から来てみると、とても新鮮に映る。上海から近い場所に、まさかこんなにのんびりした違う空間が広がっているとは。デジタル化が急速に進み、さまざまなストレスやひずみが表れる中国。そんな生活をする中で、ぶらりと訪れる九州はまさに「癒やしの地」だった。上海から来てみると、筆者も納得できた。

沖縄の米軍基地見学も

上海には沖縄県の事務所もある。県は上海で、特産の酒・泡盛やリゾート、ブライダルの宣伝にも熱心だった。自然の豊かさや距離の近さもあって、コロナが起きる前までは中国からの観光客が増え続けていた。

沖縄県の事情に詳しい中国人の学者は「中国での沖縄県の人気はまだ初期の段階」と見ていた。ツアー客が意外な場所も訪れていると聞いた。沖縄は一体どのような状況なのか。

ガイドから嘉手納基地について説明を受ける大勢の中国人観光客＝沖縄県嘉手納町「道の駅かでな」＝2019年

二〇一九年初頭、筆者も上海から訪ねてみた。

「すごい音。かっこいい」

那覇市と県北部を結ぶ幹線道路沿いにある「道の駅かでな」（嘉手納町）。激しいごう音を立てて戦闘機が基地から離陸した。四階の屋上には中国人観光客が押し寄せ、隣接する嘉手納基地の写真を撮影していた。

「中国では軍事施設は近づけないので、こんな場所はまず自由に撮影できない」

「子どもが戦闘機好きで、見せたいと思って連れてきた」

江蘇省から来たという一家が興奮気味にカメラを手に取り、声を弾ませていた。

「道の駅かでな」は、米軍のアジア太平洋の重要拠点・嘉手納基地を一望できる唯一の場所だ。沖縄では「安保が見える」とも言われる場所で、報道関係者なども常駐し、離発着する戦闘機の動きに常時目を光らせていた。ここを「スパイ・ビル」と呼ぶ米軍関係者もいるという。基地を抱える負担の重さを伝えようと、中には基地関係の展示スペースもあるが、ここを中国人の団体旅行者が見入っていた。

地元住民によると、ここを見に来る中国人は一六年ごろから増えてきた。中国から寄港するクルーズ船の乗客が乗り込むバスツアーの立ち寄り・休憩場所になっている。この建物の出入りは自由で無料。中国人が最も行きたがる行き先の一つになっていた。

中国では軍事施設の撮影は禁止されている。ここは中国人にとって、巨大な米軍基地が最も間近で見られる珍しい場所だ。道の駅関係者は「中国人では特に男性たちが『強い軍隊を見たい』との思いから足を運ぶようだ」と話す。中国国内でここは徐々に知名度が高まっており、中国人が訪れる場所になっていた。

那覇市「国際通り」の物件に関心

那覇市中心部の大通り「国際通り」。沖縄の土産品の店が目立つ。半数近くが外国人旅行者で、至る場所で中国語や韓国語が飛び交っていた。通りの近くに人気ラーメン店があったが、午後四時近くでも外国人の行列ができていた。「増えすぎて地元の人がなかなか入れず、不満の声もあるほど」(県関係者)だという。

中国東北部出身の三〇代の中国人の男性ガイドは「国際通り沿いはどこも人気物件で、このあたりで店を購入し、開きたいと考える中国人は少なくない。ここで中国人向けに中古ブランドショップを開けばきっと稼げるだろうね」という。

県関係者によると、海に近い景色の良い場所にある高級マンションを購入する中国人もいるが、「数年前よりは買う動きは沈静化した」。

ただ温暖な土地柄を魅力に感じる中国人は少なくない。コロナ禍の前には、遼寧省大連市や広東省深圳市の富裕層らから「高齢者施設運営のノウハウを学びたい」「育成された介護施設職員を中国に招きたい」「投資先はないか」といった問い合わせが時折寄せられるようになっていた。

団体クルーズ旅行から個人旅行へ

沖縄観光コンベンションビューローによると、二〇一一年から沖縄県を訪問する観光客向けに有効期間内であれば繰り返し渡航できる数次ビザが発給された。その後中国人旅行者は増え続け、一三年には約六万九〇〇〇人だったが、さらにビザ発給要件の緩和で一七年には約五四万六〇〇〇人に急増。クルーズ船などの海路で沖縄を訪れる人も一五年から増え、一八年は約三六万人で全体の半数を超えた。

ただ、クルーズ船は安価な一方で、乗船客は行動を制限され、決まった店や行き先にしか足を運べないケースも多かった。男性ガイドは「多くの客を免税店に連れていくことで店から手当が受け取れ、月二〇〇万円の収入を得たガイドもいる」と話す。一部に利益が集中し、地元に利益が還元されにくい、という不満の声も聞かれた。

沖縄には一四世紀末、福建省からの渡来人により航海術などが伝えられ、東アジアの交易の中継地の役割を果たしてきた。明治政府が沖縄県を設置して中国との関係は途絶えたが、渡来人の子孫は二万人以上に上る。

こうした歴史的背景などもあり、日本政府が一二年に尖閣諸島を国有化し、日中関係が悪化していた一三年五月、人民日報に「歴史的な懸案で（帰属が）未解決のままの琉球問題を再び議論できる時が来た」と主張する論文が掲載され、日本では強い懸念が広がった。「習近平国家主席は一九九一年と二〇〇一年に沖縄を訪問したことがある」（沖縄県関係者）といい、沖縄の事情には一定の理解もあるとされる。

中国版ツイッター「微博」ではこのころ、沖縄旅行について「ゆったりする場所としては絶対に良い選択」といった旅行者の声や、「かつてここは中国の皇帝と交流があり、我々の影響が残る。ここで地元の人の感情を害することがなければ、より（中国と）近い関係になる」「地理的には日本本土より台湾のほうが近く、本土とは文化や生活、意識の点で大きな違いがある」などといった意見が見られた。

沖縄を毎年訪れてきたという上海の中国人学者は「沖縄は上海をはじめ中国と近く、景色もいいし豚肉が多い食事も中国人にとって違和感はない。また広大な米軍基地を自分の目で見てみたい、という中国人の好奇心は強い。長寿の島でもあり、療養地としても魅力的だ」と話す。さらに「中国では沖縄旅行ブームは始まったばかりの段階だ。ただ実際には買い物や観光が主な目当てであって、南部の戦跡や辺野古問題への一般の中国人旅行者の関心は低い。琉球の地位問題も、日中関係が悪化した当時の少数の学者の主張の一部に過ぎないだろう」と語る。

中国のＪＥＴＲＯの関係者は「中国の都市部の豊かさが拡大する中、マリンスポーツや釣り、マラソンなどを楽しみたい人が増えている。沖縄の立地や美しい観光資源がこうした人を引きつけているのは間違いない。富裕層の間では、長期滞在のニーズは拡大していくだろう」と指摘した。

だが上海の日本政府関係者はこう強調した。「現在は日中関係は安定しているが、不測の事態で中国の対日姿勢には変化があり得る。投資活動などへの動きには注視が必要だ」

上海には「京都ハウス」も

上海では、日本の中で一番魅力のある街として「京都」を挙げる人は多かった。

京都の伝統工芸品などを展示販売する「京都ハウス」が二〇一九年末、上海の中心地である外灘にオープンした。京都府にとっては伝統工芸品や特産品を販売する初めての海外常設店舗だった。漆器や陶器、清酒などを手がける府内の職人の品々を展示した。

「京都ハウス」は、京都府と一九年五月に文化、旅行、科学技術のイノベーション、医療の分野で連携協定を結んだ中国の投資会社「復星国際」が開設し、高級ショッピングモールの一角に設けられた。外灘はおしゃれな雰囲気で知られ、富裕層の若者らに向けて京都の一流品の知名度を高める狙いだ。

式典では西脇隆俊・京都府知事が「京都は一〇〇〇年以上都として栄えた。ここでは歴史と伝統、文化に裏打ちされた逸品ばかりを紹介している。ぜひその質を実感してほしい」と語り、復星国際トップの郭広昌会長の熱意もありオープンの準備を進めてきた、と振り返った。

同社は不動産や観光などに幅広く投資し、郭会長は「中国のウォーレン・バフェット」とも呼ばれる人物だ。この席で郭氏は「私や家族は京都が大好きで、訪れるたびに職人たちが作った工芸品を持ち帰ってきた。幼いころから職人の技能には敬意を持っていた。日本の職人の工芸品を上海の人に紹介することはただのビジネスではなく、両国民の相互交流につながる」と期待を語っていた。

展示された品の一つが、日本では仏壇に置かれ、棒で叩くと高く澄んだ音が出るお椀のような形をした「おりん」だ。おりん作りに代々携わる宇治市の職人（四一）によると、

京都の職人が作り上げた「おりん」に関心を示す人たち＝上海市の「京都ハウス」、2019年

国外では瞑想や時間の切り替え、お守りといった用途で注目され始めており、香港の展示会でも予想以上の人気を集めたという。

男性は「癒やしを求めておりんに興味を持つ上海の人もいるかもしれない」と手応えを語った。音を鳴らす実演をすると、多くの若者が足を止め、じっと眺めていた。このほかにも京都市の陶芸家のお香セットなども注目を集めていた。

予期せぬ新型コロナウイルスで売り上げに影響が出たものの、オンラインを駆使した宣伝が続いている。

親日コア層は「若年世代の女性」

これまで日本を訪れることに強い関心を持っていたのは、主に一九九〇年代生まれの層だと言われていた。彼らの動向をどうつかむかが上海の旅行業界の関係者の間では大きな関心事だった。

こうした動きの背景には、中国での日本語学習者の増加もある。

上海の外交関係者によると、近年は日本語学習者数、教師数ともに中国が世界一になった。特に上海や江蘇省で、中学や高校といった割と早い時期から学び始める人も多い。受験の点数が望み通りにいかず、大学側からの調整でやむなく日本語専攻に割り当てられる学生もいるが、近年の米中対立の影響から「安全で近いから」と日本留学を真剣に検討する人も多くいた。

中国での日本語学習レベルは年々上がっており、日本人でも日本語教師になるには「少なくとも修士、あるいは博士でないと上海で正規に教壇に立つのは難しい」という状況だ。

中国では生まれた年を一〇年ごとに区切り、各世代の特徴を論じることが多い。JETROによると、インターネット利用層のうち七〇年代生まれの「七〇後」の特徴は「控えめなぜいたく」、「八〇後」は「就職難を経験した世代」、「九〇後」は「自由奔放で楽観的な将来観を持つ」、「〇〇後」は「親に溺愛され、幼少からネットに触れた」世代とされる。「九〇後の消費は日本にも好機」と筆者に指摘していたのが傅禄永・上海輸出入商会副会長だ。

傅さんによれば、近年、「九〇後」の存在感が中国でさらに増している。文化や娯楽の消費額が最も多く、勢いは当面続く。中国で展開するサービス業にとって、この世代の消費を研究し、ニーズにどう応えていくかが大切だという。

「九〇後」は主に二〇代だ。改革開放政策の開始から一〇年余り後に生まれ、お金に比較的困らなくなった世代だ。「モノ」は過度に消費せず「見た目」や「実体験」を特に重視している。

上海が拠点の傅さんは、近年の若年層の「食」需要の多様化を指摘した。上海では日本酒や一食数万円する高級和食店が若者に人気だ。通信アプリ「微信《ウイーチャット》」で情報が拡散され、新たな食材の需要を生み出している。

「体験に価値を見出すコト消費」で言えば、訪日リピーターの若者は東京や大阪、京都以外に九州や四国、中国地方に足を延ばし、その土地の文化に触れたがる。傅さんも埋もれた地方の名産品を常に探していた。

「米中の対立による中国経済の伸び悩みは実は日本には決してすべてがマイナスではない」という。米中関係が良ければ欧米の高級品志向になるが、近年は価格が手ごろで質が高い日本製品に目が向いている。「九〇後」が商品を見極める目は確かで、日本製品がさらに中国で定着すれば、政治が悪化しても商品への信頼は揺るがない、と見ていた。

また、傅さんはこう語った。

「日本ではシニア層向けビジネスが中心になりがちだが、中国はその逆で、今はむしろ発想やターゲットを柔軟にすれば、日本製品が入りこむ好機といえます」

日本に出かける最大のリスクは「地震」

上海駐在中、コロナ禍で往来が途絶えるまで、中国人の旅行先としての日本の人気が衰えることはなかった。

その背景について、二〇一八年秋、上海に本部を構える中国の旅行最大手、「携程旅行網」（トリップ・ドットコム・グループ、取材当時はシートリップ）の幹部は筆者にこう語っていた。

「一八年一〇月時点の国慶節（建国記念日）の連休について、自社で実施した旅行先調査で、日本はタイに次ぐ二位だった。台風による航空便キャンセルがあったにもかかわらず二位で、元々は一位の見通しだった。中国人にとって日本は最も行きやすく、人気のある国、と言っていい。人口約一四億人の中国で、旅券を持つ人はまだ約一割に過ぎないが、訪日中国人は増え続ける」

一七年に中国人が日本で何を体験したいかを調べた結果、（一）グルメ、（二）買い物、（三）健康診断、（四）文化、（五）声優・アニメ関係――の順でトップは「食」だった。数年前には「爆買い」ブームが注目されたが、通信販売で中国国内でもある程度手に入る。重い品を持ち歩くよりも、日本で「『本場の味』を楽しみたい」というニーズに変わった。

一八年九月には日本の美食レストランのリストが発表された。いわば中国版「ミシュランガイド」で、西洋人ではなく中国人が見定めたものだ。そのくらい「日本の食」への関心は高いという。

日本のビザ取得条件が次第に緩和されると、中国人旅行者の関心は大都市から地方に分散した。一八年二月の旧正月（春節）期間は、青森県や岐阜県などの人気も高まった。

コロナ禍になる前、日本に行くと感じる不便な点について、この幹部はいくつか特徴を挙げていた。

「一つは言葉の面。日本の地方都市では中国語や英語を理解して話せる人がますます求められていると感じる。二つ目は、スマートフォン決済が使えない店や場所が少なくなく、日本では現金を持つ必要があり、不便を感じる。食事などの後に現金が足りず、元と円を交換できる銀行を探すのに地方都市では手間取る。

また三つ目は、各地の情報がまだ不足している。社のサイトでは、旅行者の経験談を紹介しているが、それでも各地の魅力を伝え切れていない。日本人が中国のサイトで情報発信する工夫をすれば、利益は大きくなるはず」

日本に出かける最大のリスクは「地震」だ。台風は予想できるが、地震は難しい。旅行中に安全情報を把握できていなかった旅行者は少なくなく、緊急時に迅速に情報提供する「SOSシステム」を充実させることも課題ということだった。

トリップ・ドットコム本部がある虹橋空港近くの「凌空 SOHO」＝上海市、2018年

上海の巨大企業「トリップ・ドットコム」

取材していて目を引いたのは、上海に本部があるこの「トリップ・ドットコム」の大きさだ。虹橋空港に近い地下鉄二号線・淞虹路駅から北西に約一〇分歩くと、円形のビル「凌空ＳＯＨＯ」が見えてくる。著名建築家のザハ・ハディド氏が手がけた建物の中のオフィスの大半を占めている。

公式資料などによれば、同グループの前身は一九九九年に設立。ネットを通じた簡単なチケット予約が人気を集め、二〇〇三年に米ナスダック市場に上場。〇八年に温家宝首相（当時）が視察した。その後は国内にとどまらず海外旅行分野にも進出。従業員は約三万人近く、中国では誰もが知る旅行業界最大手だ。

実際にアプリを使うと確かに便利だ。航空券や切符予約以外に空港の送迎やクルーズ旅行、旅先のガイド紹介もある。日本の買い物欄を見れば、髙島屋や京王百貨店などの割引サービスもあった。

社員の平均年齢は二八歳と若く、社内では新たなビジネスモデルの提案を絶えず求めていた。日本での事業拡大を目指し、日本人やMBAを取得した学生の採用を進めていた。グループを創設した梁建章氏は、中国で著名な人口問題の研究者としても知られる。

上海で、日本の旅行会社や自治体との協力関係の構築を少しずつ積み上げていた。

だが、こうした中で起きたのがコロナ禍だった。

中国メディアによると、同社では新型コロナの感染が深刻化した二〇年一月以降、約一〇〇〇万件、計数億人分の旅行日程の変更などの業務に追われ、ビジネスモデルの大幅な転換を迫られた。中国で絶対安定の優良企業と思われていた同社も、コロナ禍によってまったく予想外の逆風に直面した。

二〇年五月、同社の女性経営者である孫潔・最高経営責任者（CEO）が、上海市内で筆者の取材に応じた。コロナ禍で日中間で観光などの人的往来が滞る中、孫氏は再開された場合「高品質で安全な旅行を提供することが最優先事項になる」とし、参加者の健康管理に努め、ITを活用して混雑していないルートを提示するなどのアイデアを語った。

孫氏は「ジェーン・スン」の愛称で呼ばれている。日本への観光が再び可能になれば

「日本政府や地方自治体と協力して、再び旅行者を増やしていくための具体的な方策を考えたい」と前向きだった。各地を巡るルートの選定は医療関係者の意見を取り入れるとし、「緊急時には全額が返還される旅行予約サービスの充実」などを今後の検討課題に挙げていた。

さらに孫氏は、上海や北京などの大都市住民を中心に「日本の状況が落ち着けば、また旅行に行きたい人は多い。渡航制限が緩和されれば、困難を乗り越えた両国の交流はさらに深まる」と期待していた。

多忙な孫氏は、常に国内や海外を行き来していた。しかし往来が止まり、上海の企業が消費拡大策を打ち出す中、外国メディアの取材にこの時は積極的に応じていた。

上海の投資家の関心事

日本への投資に関する話を上海でビジネス関係者から何度か耳にした。マンション購入の形での話が多かったが、こうした関係者と話すたびに、日本の各地で売りに出されている物件情報がほぼリアルタイムで把握でき、その細かさや事情の詳しさに驚いた。

二〇一九年末、日本の太平洋側の温泉旅館を買収したばかりだという上海の有力投資家に話を聞いた。この時期にどんな点に注目していたかが想像できる。

――投資として温泉旅館を買収したのですか。

「完全に投資を考えるなら東京のオフィスビルを買ったほうが利回りがいいのだが、私は日本が好きで各地を旅行していて、このあたりが手ごろと考えた。だが温泉旅館の経営は今までやったことがないので大変だ。日本が相当好きでないとなかなかできない」

――今後どのような規模にするのか。

「日本の地価の動向にもよるが、（買収は）数年かけて三～五軒のペースだろう。一気に投資するというのはちょっと違う。日本の人と協力しながら進めないとうまくいかない。買収した温泉は、グローバルに情報発信したいので、英語ができてマーケティングが分かる人材の採用が必要になる。これに加えてコストの面を考えれば地元の人がより望ましい」

――もし日本に投資していくとすれば、どの地域に注目するのか。

「伝統があって自然豊かな伊豆や箱根のあたりだろう。広くはないがこのあたりなら短時間でかなりいろいろ回れる。日本の豊かな四季は伊豆半島あたりに凝縮されている気がする。

九州も中国からのアクセスが良くて悪くはない。だが福岡や九州は規模がコンパクトではあるが、『高級路線』という感じとはやや違う。『プチ富裕層』あたりの人たちに適しているのではないか。

京都にも関心があって物件は数十見たが、どんどん値上がりしている。一〇年以上前は手ごろだったが、ホテルも多くて競争が激しい。これ以外だと軽井沢や兵庫県の有馬温泉、神戸の六甲山、大分の湯布院あたりが魅力的だ。

北海道には既に中国企業からの投資もたくさん入って値段は上がっている。

東北も悪くはないが、地震のリスクや福島の原発の安全性への懸念が残る。親子連れになると、子どものことを考えて避けがちになってしまうかもしれないので、開発するリスクは若干高い。経済の波を考えると大規模開発は非常にリスクが大きくていい選択とは言えないのではないか。

投資しやすいのは比較的小さな旅館だ。文豪とか作家がよく滞在したとなれば価値は上がる。また大都市圏から車で行きやすいことも付加価値になる」

この投資家は個人的に東京にマンションを買う予定だと語り、「額が大きいと中国から持ち出すのは大変。中国側の管理は厳しいから」と苦笑いした。さらに「日本にはピークを過ぎた感じの温泉地が少なくない。それはどこも似たり寄ったりで同一化してしまっており、独自色が乏しいのが原因だろう。多くの集客につなげるには古さを残しつつ、個性や新たなモダンさも必要だ。トイレを洋式にし、リニューアルすることが成功するには重要ではないか」と話した。

ショッピングモールに設けられた盆踊り会場に集まる人たち＝上海市「南豊城」、2020年

米国との対立が長期化し、経済にも影響を及ぼしており、この投資家は中国指導部の硬い姿勢には不満げだった。

ビジネス界には国外の情勢に敏感で、匿名だとあえて率直にものを語る人が実は結構いるのだ。

「日本ロス」続く上海

コロナ禍で日本で外国人の入国制限が延期されたニュースが中国で伝えられた時、見出しには「悲報！」とあった。往来が解禁されれば、相当の数の中国人が再び日本に押し寄せる可能性がある。特に日本に近い上海では、心の底から残念がる人が多かった。

長寧区のショッピングモール「南豊城」で二〇二〇年八月に開かれた日本

式「夏祭り」は、浴衣姿の若い女性やお面をつけた子どもたちであふれていた。設営されたやぐらを囲む盆踊りの輪に入る人出の多さは、新型コロナの発生前に戻ったような気分になった。

往来は不便なままだが、中国人の親日度はそれほど衰えていないという。先述した「行楽」によれば、はやりの店の様子を中国にインターネットで発信すると「恋しい！」といった反応が多く寄せられる。多くの人は日本に行けない悔しさを、ドラマや番組をネットで見たり、輸入品を買ったり、美しい写真を見る形で解消している。聞き取り調査の結果、八割以上が海外旅行解禁後の旅行先として日本を挙げたという。

米中関係の悪化や感染拡大などで「欧米は避けたい」と考える中国人が増えた。「友好的で、安心して旅行ができるか」を最も重視するという。政治関係が民間の往来にも連動している。

新型コロナの影響で衛生意識が高まり、人混みを避けつつ「ネット動画で楽しむ旅行」「ドライブ」「近場のツーリズム」「人の少ない田舎や野外でのぜいたくな旅行」が国内で拡大している。

中国の旅行業界関係者は、長い間日本に行けていない分、「リベンジ」の波が起きる可能性はあるという。だがそれが何年先で、どんな状況になるのかはまだ見えてきていない。

第4章
中国社会はどこへ向かうのか

4チームで開催されたプロ野球リーグ。試合開始時にはメンバーがグラウンドに集まった＝江蘇省無錫市、2019年

これまで上海の街の姿や日本とのかかわりなどをたどってみた。こうした動きの一方で、中国社会は急速に変化している。一九七〇年代後半に改革開放政策に舵を切ってから四〇年余りが過ぎ、デジタル化と並行して生活、娯楽の多様化が一気に進んだ。古い部分と新しい部分が複雑に入り交じり、世代間、地域間の考え方の差は日本よりも大きいと言える。社会の多様化と、それに伴う新たな課題。中国はこの先、一体どこへ向かうのか。各地を訪ねて考えてみた。

じわりと広がる野球熱

中国で長年、「マイナー球技」とされてきた野球が徐々に盛んになっている。二〇一九年にはプロ野球の年間約二〇試合のリーグ戦が開かれた。

二〇〇八年の北京五輪を契機に中国市場に注目した米メジャーリーグ（MLB）は、その直後から江蘇省で選手養成機関「野球発展センター」を運営してきた。一九年末までに七人の選手が米国でマイナー契約した。MLBの知名度は中国でも上がっており、関係者は野球人気の拡大に自信を見せている。

中国で野球は根付くのか。上海近郊の現場を取材した。

中国のプロ野球連盟では一九年、北京タイガース、江蘇ヒュージホース、広東レオパーズ、天津ライオンズの四チームがリーグ戦を繰り広げ、北京が優勝した。

江蘇省無錫市内の球場であった一九年九月の江蘇対北京の公式戦。チケット代は一試合五〇元（約九〇〇円）。家族連れなど五〇〇人が足を運んでいた。試合前には全員起立で国歌を歌い、チアリーダーが踊っていた。

中国でも実はロサンゼルス・エンゼルスに所属する大谷翔平選手のファンは多い。二一年一一月にア・リーグMVPに選ばれた際、中国のネット上でも「おめでとう」「すごい」といった声が書き込まれた。

筆者が取材した時、球場には大谷選手のユニホームを着た親子もいた。無錫で野球を教える張小天さんは「ユニホーム姿の小学生の子もいる。こんな光景は数年前にはなかった。野球ファンは中国で確実に増えている」と話す。新たなファンの中には「ビジネスや留学で米国で過ごしているうちに野球の面白さを知った」という人もいる。

無錫では中国のスポーツ用具メーカーがスポンサーになり、人気選手による少年野球教室やホームラン競争、オールスターゲームも開かれていた。

MLBが「中国人メジャーリーガー」を育成

赤いユニホームと黒い半ズボン姿の中学生たちが二〇一九年九月中旬、無錫市の「東北塘中学」のグラウンドに集まり、練習に汗を流していた。帽子、シャツには「MLB」のロゴ。やりとりはすべて英語だ。

中国の子どもたちに野球を教えるMLB野球発展センターのスタッフ＝江蘇省南京市、2019年

　ここはMLBが中国で運営する選手養成機関「野球発展センター」だ。南京、常州にもあり、江蘇省は「MLBのアジア地域の一大拠点」になっていた。

　センターは一九年、開設してからちょうど一〇年を迎えた。省内の三ヵ所に今いるのは約一〇〇人の男子中・高生。身体能力やセンスを見込まれ、中国各地からスカウトされて集まっていた。

　学業や生活、設備や用具はMLBが全面支援している。全員が旅券を持ち、国内外を遠征する中国の「野球エリート」だ。ここで学び、将来は米国の大学への進学やMLB球団との契約を目指す。過去六年に九三人が卒業し、五〇人以上が米国や中国、韓国、台湾の大学に進学。七人がマイナー契約し、各世代の中国代表選手三四人を送り出していた。生徒の目標は「中国人初のメジャーリーガー」だ。

「中国人は、野球選手としての大きな可能性がある」。センター設立当初から運営してきた米国人ゼネラルマネジャー、リック・デルさん（六五）はこう確信している。

ニュージャージー州の大学に勤めていたデルさんが本格的に中国にやってきたのは北京五輪（二〇〇八年）のころだった。運営に必要なのは学校と寮、球場の三つだったが、提供に協力したのが無錫市だった。

当初、十数人の生徒が集まった。まず教えたのは一塁に向けて走ることだった。「アウトやボールカウントが複雑で分かりにくい」と感じる中国人は少なくない。ルールや技術を教えながら、デルさんやスタッフは各地で有望な小学生を探し回った。

「持って生まれた才能と情熱。これを重視している」

年に二、三カ月はスカウトで各地を回る元中国代表内野手、張宝樹さん（三六）はこう話す。行き先は北京や広東省、青海省などだ。張さんはＭＬＢのマイナーリーグでプレーした経験を持つ。

米国に渡った卒業生が戻ってコーチになったり、授業や食事が充実したりして「この一〇年間で確実にレベルは上がった」（デルさん）。投手の直球は一三〇キロ前後。練習試合をすれば、野球発展センターの高校生チームが、中国のプロ球団相手に善戦することも珍しくなくなってきた。

センターの卒業生で初めてMLB球団とマイナー契約した許桂源さん。イチロー選手を目指し「イッチー」の愛称で呼ばれていた＝江蘇省南京市で2019年11月

張さんも「中国にはバスケットボールで姚明選手、テニスでは女性の李娜選手がいる。野球でメジャーリーガーが出れば、確実に野球の人気は上がる」と確信している。

四国アイランドリーグでプレーした「中国のイチロー」

南京のグラウンドには、ＭＬＢ球団とマイナー契約した選手を紹介する看板が掲げられていた。レッドソックス、オリオールズ、ブルワーズといった球団が名を連ねる。センターが誇る輝かしい卒業生たちだ。

巣立った生徒の中には、日本の四国アイランドリーグｐｌｕｓに所属した選手がいる。最初にオリオールズとマイナー契約し、その後高知ファイティングドッグスでプレーした許桂源外野手（二三＝広東省深圳市出身）だ。

許さんは左投げ左打ち。一〇歳で野球を始め、無錫のセンターで五年学んだ。二〇一七年の第四回ワールド・ベースボール・クラシック（ＷＢＣ）には中国代表として出場。「中国のイチロー」とも呼ばれた。米国で四年プレーした後、「新たな環境で学びたい」と高知県にやってきた。許さんは「高知ではチームメイトの真摯《しんし》な態度に刺激を受け、考えが大きく変わった」という。

センター側は、日本のチームとの交流強化を望んでいる。

スポーツの目的は「国威発揚」から「娯楽」へ

中国の野球の歴史は一八七〇年代にさかのぼる。清朝時代に政府が三〇人の若者を米国に留学させ、その後チームを結成したのが最初だとされる。

一九三二年、東北部に日本が「満州国」を建設すると、旅順や大連で盛んに試合が開かれた。日本はスポーツを利用して親善や提携を宣伝し、中国人の反感を打ち消そうとしたという。一方、当時抗日戦争を戦っていた共産党の八路軍も「投球は手投げ弾を投げるのに役立つ」という理由で部隊での野球を奨励した。

新中国建国後は北京や上海などで野球大会が開かれたが、文化大革命の混乱などで一〇年余り大会は中断した。

七二年に日中の国交が正常化されると、日本にも視察団を派遣し「野球交流」は深まった。王貞治氏らも現役時代から協力している。

しかし球場にファンが詰めかける「プロ野球文化」は不思議なことに中国では根付かなかった。北京五輪の前に野球が一時注目されたが、その後人気低迷が続いてきた。

「中国では長らく、スポーツは政権の『国威発揚』の道具に過ぎず、国民が楽しむ『興行』『エンターテインメント』的な要素は存在しなかった」

上海の外交関係者はこう解説する。

「国内の安定や経済成長が最優先で、日米韓が圧倒的な優位にある野球での敗北は不愉快でしかない。五輪のような目標があれば話は別だが、東京五輪以降の正式種目としての存続が見えない中、指導部も野球振興を後押しすべきか目標が定まっていないのではないか。ただ国民の『生活の楽しみ』を多様化させる必要があることは指導部も認識しているはず」

世界野球ソフトボール連盟（WBSC）が発表する国や地域別の強さを示す二〇一八年末時点の世界ランキングでは、上から日本、米国、韓国、台湾と続くが、中国は二〇位にとどまり大きな差がある。

だが近年は中国人の野球への注目の高まりをうかがわせる動きも出ている。中国でMLBや日本のプロ野球、甲子園の動画がスマホで気軽に見られるようになったのだ。グッズを販売するMLBショップは各地に急増し、上海市内でも野球帽をかぶる人の姿が目立つようになった。「帽子のマークの意味は分からないが、かっこいいので買った」と話す人もいる。

MLBの統計によれば、一九年一〇月時点の中国の野球人口は四一〇〇万人。比較的高学歴で収入も高い層だ。球場や練習場も少しずつ増えてきている。

MLBセンターで日本人スタッフに出会った。トレーナーの小澤奈央さん（三〇）だ。

調子を崩した生徒の相談に乗り、トレーニング法を伝えていた。

小澤さん自身もかつて「球児」だった。愛知県出身で、小学三年のころにソフトボールを始め、その後、学校の野球部に入部。初の女子部員だった。中学、高校でも選んだのは野球。同じ愛知県出身のイチロー選手に憧れた。日本高野連の規定で女子部員は公式戦に出られないが、右翼が定位置で、練習試合では安打を放った。

「MLBカップ」の野球の試合に参加した山東省・青島の少年たち＝江蘇省無錫市で2019年10月

九州の体育大学に進んだ後も「野球にかかわる仕事をしたい」との思いで見つけたのが、けがの予防やリハビリなどに携わる「アスレチックトレーナー」だ。資格を取るために渡米。ネブラスカ大学やミズーリ大学大学院に約六年通った。いったん帰国し、知人のつてで資格を生かせる仕事として紹介されたのが「MLB中国」の仕事だった。

「中国で野球？」。最初はイメージがわかなかったが、アジア最大のMLBの育成拠点で働くことに興味を感じた。一八年からここでスタッフになった小澤さんは「中国野球は若い世代に浸透し始めたばかり。この世代が父母になり、親子で気軽にキャッチボールができる時代が来れば、野球はもっと身近な存在になる」と中国野球の将来に確かな手応えを感じていた。

杭州の「憧れハウス」

娯楽が多様化する一方で、住環境にも変化の兆しがある。

中国人は将来、どんな家に住みたいと想像しているのだろう。そんなイメージや願望を形にしたのが、浙江省杭州市にあるパナソニックの製造工場に建てられていた「憧れハウス」だ。二〇一九年に現地でメディアに公開された。

モダンな空間のリビングに入ると、本などが置かれた棚の前に透明な板が置かれていた。ここからテレビの画面が映し出される。テレビを目立たなくし、シンプルさを追求した薄型の「透明テレビ」は中国で注目の的だという。

台所周辺の冷蔵庫はインターネットに接続され、タッチパネル式。帰宅後にスマホのアプリでメニューを調整し、セットで食材を購入。材料が届くと、ボタンで圧力鍋などを操作し、二〇分後には食事ができあがる。

台所には肉を焼いたり、温度が一九〇度に上がり食材を蒸す機器も備えられ、日々の料理の負担を大きく軽減できるという。中国ではフードデリバリーサービスが盛んだが、自

「憧れハウス」で公開示された洗面台。顔の状態を読み取り、鏡の画面でデータを表示する＝浙江省杭州市、2019年1月

宅で料理すればより質も安心だ。

トイレも進化している。「健康一体型」を目指し、便座に座って用をたすと、センサーが肌から体の状態を感知し、体脂肪を分析していく。尿検査もでき、その結果をデータが正面の鏡などに表示してくれる。「毎日の健康の数値がタイムリーに把握できます。家の人が一緒に使えるように、それぞれを指紋で識別します。こうした設備は高齢者施設でも応用できます」と担当者は説明した。

女性向けの洗面台には鏡がついていた。この鏡は顔認証機能を備えているという。美しさを追い求める『白雪姫』に出てくる魔法の鏡」をイメージし、顔を向けると肌の状態を瞬時に分析する。画面で「しみ」「しわ」「毛穴」「透明感」「ほうれい線」の五つの今日の状態をグラフで伝えていた。

「憧れハウス」は、日本から一部を仕入れて研究を重ねた「中国オリジナル」だ。「パナソニックの家電の中国のシェアは二％未満。かつては二〇％だったが、中国の家電市場の拡大で今はその一〇分の一だ。中国での競争は激しく、変わらなければならない。業界の動きを見ながら中国式のやり方で発展させていく」。現地法人の幹部はこう語った。

様変わりするトイレ

トイレの変化も早い。都市部を中心に温水洗浄便座などの普及が進むが、ここでも「日本式」の人気は根強い。地方でも習近平氏が推し進めた「トイレ革命」により、仕切りがないかつての「ニーハオトイレ」などは次々に姿を消している。

日系トイレメーカーの幹部によると、設置の需要は主にホテルや高級集合住宅だ。上海では中心部の新築需要はほぼ一巡したが、近年需要が大きく伸びたのは広東省深圳市だ。中国の有力企業がここに拠点を移しており、学歴や給与水準の高い住民が急増し、それに伴い高級トイレの需要も増えたという。

これまでは主に北京や上海、広州といった大都市が需要の中心だったが、内陸部にも広がっている。

中国人の清潔感は大きく変わってきた。北京五輪（二〇〇八年）や上海万博（二〇一〇年）の開催で都市部の高級住宅が急増し、バスルームは重要なインテリアの一つと受け止められるようになった。

最近ではビッグデータやインターネットを活用した公衆トイレである「スマートトイレ」も各地で出始めた。中国メディアによると、利用者数や使用頻度のデータを集積し、掃除すべき時間を担当者に通知したり、悪臭が一定の基準値を超えると自動的に換気して清潔な空気を保ったりするシステムを備えたものまで登場している。

この幹部は今後について「音声やスマートフォンで機器を操作するものや、体脂肪計測や尿検査などの健康診断の補助的要素を備えたトイレも研究されています。より先進的なアイデアのトイレが日本より先に生まれていく可能性があります」と見通した。トイレの清潔化は、大都市と地方の格差縮小にも密接に関係している。「トイレ革命」の勢いも当面衰えそうにない。

デジタル化を象徴するアリババ

上海に駐在中、駐在員の間でよく話題になっていたのが「杭州のアリババキャンパス」だ。上海から約二〇〇キロ南西の浙江省杭州にある中国電子商取引大手のアリババグループの拠点だ。よく知人や同業者との間で「もう行った?」「行ってきた」「まだ見ていない」という会話になった。

上海や浙江省などの地元政府が主催するツアーには組み込まれていることが多かったが、アリババ側は情報管理に厳しい面もあり、「状況によって見られる場所が違ってくる。全

アリババキャンパス内を行き来する社員ら＝浙江省杭州市、2019年11月

然視察を受け入れない時期もある」と言われていた。

日本から上海を訪れるビジネスマンや行政関係者は、必ずと言っていいほどアリババ関連の場所の視察を希望していた。中国のIT企業の代表的存在で、中国のデジタル化の象徴とも言えるからだ。

アリババは既に日本でも知名度が高く、その動きは頻繁に報じられている。

一九九九年に創立。テクノロジーとマーケティング力を駆使して、あらゆる企業がインターネットを活用してつながり、ビジネスの可能性を広げることをサポートするとしている。

手がけるのは小売りや情報サービス、デジタルメディア、エンターテインメントの分野で、これを物流、マーケティング、クラウドコンピューティング事業が支える。電子決済サービスではスマホの「支付宝《アリペイ》」が知られる。

「出会い、仕事、生活はアリババ」「少なくとも一〇二年、世紀をまたいで発展する」「今でなければいつ（するのか）？　あなたでなければ誰が（するのか）？」が社内スローガンだという。

中国と世界の交易を進める「グローバル化」、多くのサービスを農村に届ける「農村化」、AI技術を応用していく「データ化」の三つを戦略に掲げている。

年間売り上げは六・四兆円（国・地域別流通総額ランキングでは日本ブランドが一位）を超え、年間モバイルアクティブユーザー数は七・二億人、アリババのバイヤーが存在する国や地域は二〇〇以上、アリペイの世界の利用者は一二億人に上ったという。

『春晩』並みの「ダブルイレブン」

アリババの存在が特に注目されるのは、毎年一一月一一日（独身の日）に開催している世界最大の二四時間オンラインショッピングイベントだ。「ダブルイレブン」と言われ、二〇〇九年から始まった。当初は二四時間限定セールで約八億三〇〇〇万円の流通総額だったが、グローバルな買い物の娯楽の祭典に変わり、一八年には三兆四一六〇億円にまで膨れ上がっていた。

この時期は段ボール箱で各地の配達先があふれかえる。この年には、一晩で一〇万元

（約一八〇万円）を使った女性が「買い物依存症」に診断されたとも伝えられた。この日の夜のイベントの様子はテレビでも生中継され、旧正月「春節」の時にCCTVが放映する日本の紅白歌合戦のような番組『春晩』にも匹敵するほどの盛り上がりを見せていた。

一九年一一月、杭州のアリババキャパスでのダブルイレブンのイベントの様子を取材した。オフィスの一部が公開され、その熱気が伝わってきた。筆者は北京に駐在していた時、毎年春には全人代を取材してきたが、北京での形式的な数々の会議とはまったく異なる熱気をここのオフィスでは感じた。

前日の昼に杭州市内のホテルに集合。そこで資料が配られた。イベントについてこう紹介されていた。

・割引セールだけでなく、新たなライフスタイルを取り入れつつある中国の消費者の需要に対応した。（イベントでは）一〇〇万点の新商品の提供が予定され、資生堂やSK－Ⅱをはじめとする国内外二一五のブランドから、二四〇種類の特別商品も用意された。
・七八の国と地域から二万二〇〇〇以上のグローバルブランドが参加し、商品の幅広い選択肢を消費者に提供する。
・旅行商品プラットフォームの「飛猪《フリギー》」は二〇〇以上の目的地に行く三万以上のさまざまな休暇パッケージを提供し、中国人観光客の旅行需要を満たす。
・物流関連会社の「菜鳥網絡《ツァイニャオ》」は一七年、ダブルイレブンで一〇億以上の荷物を配送した。環境に優しいイベントにするため、空き箱を引き取るリサイクルステーションを七万五〇〇〇カ所設置する。リサイクルに協力した消費者には、グリーンエネルギーポイントが付与される。

さらに、一一月一一日夜のカウントダウンイベントについては、こう説明していた。

「一〇月二一日よりさまざまなイベントを開催し、フェスティバル当日に向けて盛り上げていく。今年は『今、見る』『今、買う』機能を備えた二時間のライブショーを皮切りに、ファッションの祭典を実施する。

主なカテゴリーには消費財、電化商品、ファッションアパレル、アクセサリーが含まれる。一八のオンラインチャンネルで生中継され、消費者はショーで紹介されている商品はリアルタイムで購入できる。

ショーではリーバイス、ポロ、バーバリーといった国内外の二四ブランドの最新コレクションや新商品が紹介される。

ビューティー業界でライブ配信を利用した出品企業の数は一八年比で二〇〇%増加し、ライブ配信を介した流通総額は一八年より五〇倍増加した。

またライブの配信では一秒で五五台もの自動車が販売された。ボルボなどのようなプレミアム自動車ブランドが販売プロモーションに参加している。

ダブルイレブンの成約額を大々的に宣伝するスクリーン＝アリババキャンパス内、2019年11月

フェスティバルのイベントは上海のメルセデスベンツアリーナで生中継する。中継は世界五〇カ国・地域の三〇のプラットフォームやテレビチャンネルで放送される。アリーナのイベントでは、中国や世界で活躍する著名人に加えて、中国で活躍する日本の声優や、グラミー賞を多数受賞したシンガーソングライターのテイラー・スウィフトが参加する」

まさに中国の『春晩』並みの盛り上がりだ。ここ一〇年余りで、別の新しい国民的な「お祭り」ができたと言っていい。

こうもつけ加えていた。

「『飛猪』では、東京二〇二〇オリンピック大会期間中のツアーパッケージ商品を発売するキャンペーンを実施する。一一月一一日の午前一一時一一分から、一一一一件のパッケージ商品の予約販売を開始する。

またアリババ集団が有する生鮮スーパー『盒馬鮮生』は一三都市で広場ダンスコンテストや、一〇〇人前の火鍋パーティーなど、さまざまなイベントを開催する」

AI会話ロボットで商品説明

イベントはAI（人工知能）を駆使しているという。商品をより分かりやすく、買いやすくするため、多種多様な先端技術を導入したとし、アリババはこう紹介していた。

「コスメの色、材質などのデジタルデータを入手し、AIなどの技術でよりリアルにコスメ商品が体験できる。高精度、リアルタイムの顔認証技術を活用し、ユーザーの顔が動く時や、大きく顔が傾いている時も安定的に認識できる。

またコスメ商品の再現では、リップ、アイシャドーなど最大七つのコスメ効果を、一瞬でユーザーの顔に再現できる」

「スムーズなネット視聴体験の実現のため、新しい音声・ビデオのリアルタイム通信技術を自主開発した。タイムラグが大幅に改善され、五～七秒の遅延を二秒以内に抑えることができた。同時にAI技術を導入し、配信者がライブ配信で紹介している商品をリアルタイムで自動的に配信画面に陳列できる。

さらに、グループ傘下のスマートスピーカー機器『天猫精霊《テイエンマオジンリン》』の音声販売の機能も始まった。ユーザーが『天猫精霊』と呼びかけ、買いたい商品を話しかければそのまま購入できる。また声紋決済機能を登録したユーザーは、音声で決済までできる。

予約販売期間中で既に三〇〇万人が音声販売機能を試し、六〇万件以上の取引が発生した。既に数百のブランドが提携し、音声販売を通じて消費者に新しい買い物体験を提供している。音声販売では卵、米、洗剤、ヨーグルトなどが人気だ」

一方で、言語機能でも技術レベルが向上したという。

「『阿里小蜜《アリシャオミー》』はアリババグループのテクノロジー研究機関『阿里巴巴達摩院』が展開するAI会話ロボットだ。英語、中国語、ポルトガル語、スペイン語など一〇言語以上に対応し、海外事業に貢献している。視聴者の商品や配信者への複雑な質問をより正確に分析できる。配信中に発生するユーザーからの質問の回答率や解決率を大幅に向上させた。また画像解析で画像の内容を理解し、ユーザーからの問い合わせに合わせて識別しながら、自動的に回答の画像を送れる。

多言語に対応する機械翻訳も進み、世界で一〇〇万以上の中小企業の意思疎通をサポートしている。売り手と買い手双方に提供し、欧州、アジア、米国、中東地域のほとんどの国をカバーしている。

自主開発に基づいた液体冷却システムなどの技術を開発し、電子取引一万件あたりの消費電力を二キロワット時以内に抑えられた。稼働時に発生する熱エネルギーがそのまま外部冷却循環装置に吸収され、エネルギー消費を削減できる」

実際に利用する時間はなかったが、こうした宣伝や研究成果が目白押しだった。

若者が集う「アリババキャンパス」

夜から始まるダブルイレブンのイベントの開始前、社員は記者らを連れてキャンパス内やその周辺を案内して回った。

本部の敷地は杭州市中心部の西側にあり、「阿里巴巴西渓園区」という。

ここは二〇一三年からアリババグループの本部になったという。敷地内には八つの大きなビルがあり、展示庁、五つの食堂、四つの郵便局、四つのカフェ、スポーツセンターや理髪店もある。毎日約一万六〇〇〇人の社員がここで勤め、毎日平均二〇〇〇人の訪問客を受け入れている。

ビル間の移動は自転車だ。社員は二〇～三〇代の若者が多く、大学の中を歩いているような雰囲気だ。食堂はスマホ決済で、五号楼の食堂は、食品をスキャンするだけでロボットが品を選んで運んでくれる食物識別技術も導入した。

中には「愛情橋」と呼ばれる場所もあった。一〇〇以上のカップルの社員の集団結婚式が挙げられたりもした。橋には銅製の「男女の心をつなぎとめる鎖」があり、互いの仲を約束するスポットだという。

敷地内には、現代美術風の像があちこちに建っている。それぞれには「苦難と挑戦の中での謙遜と自信」「重責を負う時こそ反省をする大切さ」「誰もが意見が異なる場合でも、心を一つにすることで前進できる」「できないビジネスをなくしていく」といった意味が込められているそうだ。

敷地内では、九号館にアリババの巨大な展示スペースが設けられていた。アリババグループの約二〇年の歩みや、アリペイを活用した最新の技術が展示されており、欧米の首脳らも訪れたという。

この展示スペースに筆者は二度行ったが、いずれもこの展示の「撮影はNG」だった。ここでアリペイのアプリで表示される信用スコアでもある「芝麻《チーマー》信用」について聞いてみた。この点数が高いと、クレジットカードや消費者金融、レンタカー、旅行、ホテル宿泊、学生へのサービスなどでさまざまな特典につながるものだ。中国人の間では、この点数を互いに確認し合い、信用に足る人物かどうかを実際に見極める面もある。ポイント加算の数字の基準などを尋ねてみたが、担当者はこの場では応じなかった。

社員が案内した別の場所は、敷地に近い小さな雑貨店だった。

ここではデジタルデータで店の売れ行きを分析し、どの商品を仕入れるべきか、またどのくらいの数なら在庫管理がうまくいくかをアリババ側が助言し、ネットで仕入れの注文をしていた。小売り店向けに小刻みに、安く商品を提供するサービスで、海外の商品が従来よりも効率的に仕入れられるようになったという。中国にはこうした小規模雑貨店が六〇〇万近くあるが、既にこのサービスを利用する店舗は一五〇万店近くに増えたとのことだった。

キャンパス内では日本の大手化粧品メーカーの幹部が会見し、アリババとの協力関係についてこう語った。

「中国市場は最も大事な市場だ。電子商取引が全体の成長を牽引している。弊社は一六年からアリババと戦略提携を始めたが、これには三つの目的がある。一つは急成長する電子商取引をどれだけ強化できるか。二つ目はアリババのビッグデータをどう生かして将来の成長機会を模索できるか。三つ目はアリババを活用して自社の運用がデジタル化できるかだ。そのためアリババのオフィスのすぐ近くに、業界初の専用オフィスを併設した」

さらに成果について、「アリババのデータの中で、ターゲットの消費者がどこにいるのか共同で研究しながらこの日に向けて準備し、中国専門のブランドの新製品を開発できた」と成果を語った。

翌日、今度は敷地の各地で発信されていたウェブでの商品宣伝中継の現場を案内された。一九年からは六つのブースを新たに設置したという。商品について一〇の言語を駆使してライブで伝え、世界に発信することで売り上げを大きく増やしていた。

東南アジア六カ国向けには「Lazada（ラザダ）」というオンラインモールを通じて

商品を売り出していた。いわば中国のアリババのオンラインモール「淘宝網」の東南アジア版だ。そのライブの様子も取材したが、現地で注目されているタレントがさまざまな商品を手にし、熱心に宣伝していた。スタッフによると、農家や業界のオーナーが自ら動画に出演し、働きぶりを発信して共感を集め、売り上げ増につなげるという。

ダブルイレブンの節目を迎え、それぞれのビルの中のオフィスはお祭り騒ぎの活気だった。社員はそろいのシャツを着て、賑やかな雰囲気で売り上げを競っている。まるで大学のサークルの一大イベントのようだ。

「共同富裕」を推し進める政府

この時、日中を往来するアリババの社員に、職場環境や働き心地について聞いてみた。中国での企業活動に制約が多いことが想像できるが、実際のところどうなのか。

「最初はイメージがわきませんでしたが、仕事の内容を聞いていて『未来がありそう』と思いました。（スマホ決済が注目され始めた）二〇一八年の秋ごろから、アリババの知名度が少しずつ高まり、日本ではアリババのイメージが徐々に変わってきました」と話す。

「実際に働いてみると、確かに一九九〇年前後のバブルの日本の会社の雰囲気というか、成長期で活気があり猛烈に働いている感じがします」という。

「中国は伸びている国なので、チャンスは限りなく広がっている感じというか。そこは日本もうまく活用したほうがためになる面もある、という気もします」。さらに「待遇はそれほど悪くはない」ということだった。

さらに内部の雰囲気についてこう語った。

「仕事はあるようでないし、なかったら突然生まれるし、増やそうと思えば増える、という感じです。つまり、『圧倒的な当事者意識』。『今やらなくていつやるのか、私がやらないなら誰がやるのか』。

社内全体がそうですが、決められたことを一〇〇点こなす発想ではなく、自分で課題やチャンスを見つけて率先して動く人のほうが向いている気がします」

この時は普段仕事をする限り、政治が業務に介入してくるとか、そういうことを感じたことはない、ということだった。最後にこう語っていた。「日本人は中国に対する古いイメージを変えないと、これから損をすると思います」

この時のイベントで、取引額は過去最高の四兆円の大台を突破した。

だがこのダブルイレブンも、二〇二一年に入ると雰囲気は様変わりした。恒例の盛大な取扱高速報を見送り、お祭りムードは影を潜めてしまったという。アリババなどのIT大手企業や一部の芸能人、学習塾などの教育産業は「もうけすぎ」と批判され、「共同富裕」を推し進める政府が締め付けや監視を強めていることが背景とも指摘される。

筆者が現場で取材した時の熱気が再び戻る日は来るのだろうか。

無人の「フライ・ズー・ホテル」のフィットネスルーム＝浙江省杭州市、2019年

無人ホテルも

杭州は、いわば「アリババのおひざ元」で、アリババが開発したさまざまな先進技術が各地で次々と試験的に導入されていた。キャンパスの近くには社員や関係者が住むマンションが林立し、近くのショッピングモールにある同系列のスーパー「盒馬鮮生」は、視察ツアーの定番の行き先になった。ここでは「三〇分配送」や「スーパー内のフードコート」「生きた魚やエビの販売」「天井のベルトコンベアでの配送用商品の運搬」「キャッシュレスレジ」などのサービスが見学できる。

杭州では「人工知能の村」なども開発され、上海とはやや雰囲気が異なる。

二〇一九年四月、アリババ系列の「無人ホテル」の中を取材した。「あらゆるホテルのサービスが無人化されている」と担当者は胸を張った。

モダンな内装の屋内は静けさが漂っていた。

英語名は「フライ・ズー・ホテル」。一八年一二月にオープンした。二九〇室あり、アプリを登録して予約し、チェックインの手続きや部屋の出入りは顔認証で済むという。部屋では「エアコンつけて」「明かりをつけて」「テレビをつけて」「音楽をかけて」といった希望のサービスを口にすれば、スマートスピーカー「天猫精霊」が客の声を認識し、「今日の杭州の天気は？」の問いに「小雨です」などと答えたり、ロボットが動き回って水やタオルなどを部屋に運んだりする。またロボットがカクテルなどをブレンドするバーも備え付けられていた。

一泊約一四〇〇元（約二万五〇〇〇円）。担当者は「香港人や外国人も泊まれます。ここで技術やサービスを蓄積し、他のホテルにも共有していきたいです」というが、残念ながら筆者の旅券を画面にかざしてみたところ機器はうまく反応せず、「あくまで想定の客層は出張の中国人ビジネスマン」ということだった。中国のホテルではチェックインやチェックアウト、あるいはルームサービスの無人化がさらに進む可能性が高い。

広がるオンライン裁判

杭州では、中国初になる「インターネット裁判所」の運用も二〇一七年八月から始まっている。一八年九月には北京と広州でも設立された。一九年末に杭州で取材したが、担当者は

メディア向けに実演されたインターネット裁判の審理＝浙江省杭州市、2019年12月

「導入によって審理の効率が高まり、案件の類型化がさらに進んだ」と誇らしげだった。

中国の最高人民法院（最高裁）が一九年末に発行した「中国裁判所のインターネット司法」によると、この三カ所の裁判所には八四人の裁判官を置き、一人あたり七〇〇件以上を扱う。「ネット上に関する案件はオンラインで審理する」という方針で、ネットでの金融の貸借や買い物、サービスなどの案件の対応をしてきた。一九年一〇月末までに三カ所の裁判所で受理した案件は約一一万九〇〇〇件で、平均の審理期間は三八日、オンライン法廷の審理平均時間は四五分だったという。

法廷では、無人機やロボットが展示されていた。こうしたハイテク機器は現場の空撮や、人の入りづらい場所での証拠調べに活用しているという。多くの判例を蓄積したＡＩ裁判官助理（補佐）が審理に加わることもある。「それほど難しくない事案なら対応できる」が、「特別に複雑な事案の対応は難しい」。しかし、誤審が生じることは「基本的にはない」と説明した。

こうしたオンラインによる裁判は中国各地にも広がる傾向にあり、裁判手続きの効率化が進んでいる。だが上海の司法関係者に聞いてみると、こうした流れには批判的だった。

この関係者は「見られない現場を見るとか、事務処理をするとか、そういうことを機械やAIに頼るのはあり得るかもしれないが、最後の判断はやはり人間がするべきでしょう。裁判の事例というのはまったく同じということは絶対になくて、すべて背景が違っています。同じものは一つとして存在しない。当事者の目を見たり、じかに話を聞き、触れたりして分かることが多い。また電子化しすぎると情報漏洩のリスクも出てくる。あまり急激に裁判をオンライン化することには実は国内でも慎重な意見があるのです」。

裁判のオンライン化をもし日本で同じように導入しようとしたら、まだかなりの検討が必要になるのかもしれない。

上海の外交関係者によると、上海や杭州などを含む長江デルタ地域（上海市、江蘇省、浙江省、安徽省）は、中国全体で見るとAI開発の一大拠点とも言える。GDP（国内総生産）は中国全体の四分の一で、既に英国やフランスを超えてドイツに迫り、日本の三分の二程度にまで伸びてきている。情報サービス産業も全国の三分の一の規模が集中し、中国が重点的に強化している学部・学科や国家級の実験室などの四分の一、世界トップ二〇〇大学に入る中国の七大学のうち五校がこの地域に集まっている。

中国政府は上海市中心部から郊外の松江区を経て浙江省杭州を結ぶ高速道路「G六〇」を技術開発の主要ルートと位置づけ、新たな産業育成を後押ししている。上海と杭州を結ぶこの道路周辺のエリアはまだ建設中の施設が多く、一〇年、二〇年後には今とはまったく違う姿になっているのだろう。

新職業が続々誕生で人材争奪戦も

こうした各地での新たな技術開発を背景に、中国では新たな職業が次々に生まれている。古い職業に携わっていた人は辞めることを余儀なくされ、新たな仕事に次々に移っていく。こうしたサイクルが急スピードで繰り返されている。

具体的にはどんな仕事なのか。

中国政府は二〇二〇年春、一六の新職業を新たに発表した。一五年に発表した「職業分類大典」に追加し、存在を公的に認めるもので、主にこんな職種だ。

スマート製造プロジェクト技術員、バーチャルリアリティプロジェクト技術員、ネット配送員、AI訓練士……。

こうした「新職業」は定期的に更新されている。この前の年には、「eスポーツ運営士」

や「無人機運転士」「工業ロボットシステム操作員」「悪臭嗅ぎ分け士」「ペット美容師」「ネットキャスター」といった職業も報じられた。

これ以外に、メディアで報じられる内容を見るだけでも「ごみ分類師」「高齢者能力評価士」などのほか、アリババでは自社の事業関連で「AI流行予測師」「海鮮飼育員」といった一〇〇以上の新職業が生まれたという。

こうした職業に関心を持ち、就職するのは二〇代、三〇代の若者たちだ。人材育成のため、教育機関も対応を迫られていた。上海紙は二〇年七月、上海理工大や上海大など八つの主要大学で人工知能を専門にする学科を新設したと伝えた。

中国では一九八〇年代、人気の職業はタクシー運転手や調理師などだった。注目される職業は九〇年代は個人自営業者、二〇〇〇年代は株の投資家、一〇年代はプログラマー、一〇年代以降はネット通販業者、といった形で変化してきた。中国でもデジタル、AI化に対応できる人材は不足している。

上海ではこうした事情から、有能な人材が常に足りないので、「人材争奪戦」が至るところで起きていた。筆者も助手を新たに採用する機会があったのだが、ベテラン駐在員の先輩からは「とにかくいきなり探そうとしても、条件に合う人材はめったに見つからない。普段から各所の知り合いに声をかけてアンテナを張り、『これは』という人材にはすぐ引き抜きやスカウトができるよう備えておくべき」と助言された。

有能で人柄の良い助手が常に必要な状況だったが、ふさわしい人材と思えても給与の要求は高く、待遇が不満だとすぐに辞めてしまう。「いい人材の採用」で頭を悩ませる駐在員は少なくなかった。実際に筆者が新たに採用した助手も、入念に根回しをし、他業種から引き抜く形でようやく採用できた。

世界の中でも突出するスマホ依存

筆者の手元に、上海の博報堂生活綜研が二〇一八年にまとめた中国人のライフスタイルの報告書がある。それによると、中国人のスマートフォンの利用時間（二〇一八年一〇月）は一日あたり一八七分で三時間を超える。米国が一一七分、日本が一一六分で約一・五倍の長さだ。また「日常生活に絶対になくてはならない」と考える人は八二％で、日本（五五％）や米国（四三％）を大きく引き離している。

またSNSの一日の利用時間は一一七分で、米国（五三分）、日本（四〇分）の倍以上だった。キャッシュレス決済、外食デリバリーアプリ、タクシー配車アプリ、オンラインスーパーも使用頻度が倍以上になっている。調査結果では、中国人は日本人や米国人に比べて新しいものをすぐに受け入れ、「いち早く手に入れたい」と考える傾向が鮮明になっていた。

この翌年のまとめでは、高齢世代が「二〜三年前より若い世代の影響を受けるようになった」と報告されている。デジタル化が進み、中国の幅広い世代が若者世代の行動に影響されている傾向が表れていた。

先にも触れたが、こうした傾向が強まり、生活が便利になる一方で、中国人の体や健康にもさまざまな悪影響が出ている。中国メディアは時折、こうした事例を繰り返し伝え、注意を呼びかけていた。デジタル化の急速な普及による副産物とも言えるが、その度合いは日本より深刻にも見えた。

中国メディアによると、人口が約一四億の中国のネット利用者は既に一〇億人を超えた。このほとんどがスマホだ。一九年の上半期でネット利用者の一人あたりの一週間のネット利用時間は約二八時間だった。単純計算で一日約四時間になる。長い人で八時間以上だ。

別のメディアの内訳を見ると、一日八時間以上が五・五%おり、都市部に出稼ぎに来ている親に残された地方の「留守児童」のほうが比率は高い。青少年の五分の一がネット中毒のリスクにさらされているという。九割近くが「スマホへの過度な依存が家庭内のコミュニケーションを阻害している」と考え、「手足や首、腰などの健康に影響を及ぼしている」と指摘する専門家の声を伝えている。

若者のスマホ依存によって、ネット上でのギャンブルで家族が巨額の負債を抱えたり、学校の中で友人同士がオンラインで金銭を貸し借りしたりする現象も社会問題になった。二〇年以降はコロナ禍でさらにこの傾向に拍車がかかった。

こうした傾向は、機密の多い軍の内部でも同じようだ。一九年七月、「解放軍報」はスマホを使いすぎて時間を浪費する事態を避けるよう、「スマホを置き、頭を上げ、外で運動をして汗をかこう」と呼びかけていた。

「eスポーツ」トップ選手は年収一億円超え

中国は世界最大規模の「ゲーム大国」だ。幾多の新たなゲームが日々生み出され、上海ではゲームのスポーツ「eスポーツ」も盛んだ。上海は「eスポーツの世界の中心都市」を目指しており、大規模な大会が頻繁に開かれている。「チャイナジョイ」といった娯楽がテーマの展示会には巨大なゲーム展示場もあり、そこにはいつも人だかりができていた。

筆者は二〇一八年七月、上海でeスポーツの著名解説者にインタビューした。ゲーム専用の特注椅子が並ぶオフィスで取材に応じた解説者はこんな見方をしていた。

「eスポーツは酒を飲んだり、ゴルフをしたりするより安い。若者にとっては『最も安い娯楽』だと言っていい。この分野は親の世代からはあまり好ましく思われていないが、その抑圧感がさらに発展の原動力になった面もある」

中国は歴史的に兵法家の孫子を生んだ国で、総じて戦略を研究するのが得意だ。策略を立て、組織で行動する。この点では中国人は絶対に他国に負けない。またゲーム人口もとてつもなく大きい。そしてデジタル分野で発展した上海はeスポーツには最も適した都市だ。環境も整っている。政府もeスポーツの発展を後押ししている」

選手の収入は増えており、トップ選手だと年収は一億円を超えるという。「次第にサッカーやバスケットボールのプロ選手のレベルに近づいている」と話していた。

ただ、気になる発言もあった。一日の生活スタイルを聞くと「寝る時間は遅い。普通は午前二～四時ごろだ。こちらの業界の傾向で言うと、休日の仕事が多いので週末とか、みんなが休む時間にむしろ忙しくなる。社員は午後の出勤だ。eスポーツは午後七時とかに始まるし、遅い時は午後一〇、一一時のこともある。つまりほとんどの場合は夜さ。もう慣れたけどね」。

二〇年六月、中国紙は著名な中国の二三歳のeスポーツ選手が、2型糖尿病を患い引退することを大きく伝えた。この選手は一三～一四年の著名な大会で優勝し、歴史に刻まれる名選手だが「かねてからのプレッシャーや肥満、不規則な飲食、徹夜などが原因で糖尿病と診断された。何とか改善を試みたが芳しくなく、精神状態や体力、睡眠などに影響が出た。再度戦い続けることが許されない状態になった」と中国版ツイッター「微博」に書き込んだ。

人気が拡大するeスポーツだが、そこでトップを維持し続けるのは相当な体力や自己管理が必要になるのだろう。

中国では、スマホやタブレットの過剰な使用による視力の悪化を懸念する報道も多かった。中国紙によると、一二年の時点で、視力の悪化で健康を損なうことによって一年で六八〇〇億元の社会・経済コストを失うことになり「高血圧や糖尿病よりも深刻な問題になり得る」と警告していた。中国政府は地方政府に対し、視力悪化の対策も幹部の評価基準に盛り込む方針を示した。

中国全土の青少年の五三・六%が近視(二〇一八年)で、近視率は世界一だ。大学生の近視率は八〇~九〇%で、小学生でも三五~五〇%に上る。原因は「屋外時間での活動不足」「不十分な睡眠時間」「近距離での目の過度な使用」「パソコンやタブレットの誤った使用」などだ。中国国内で急速に普及している3D映画の見過ぎでさらに視力を落としている、と警告している。

これに拍車をかけたのがコロナ禍だ。オンラインの会議や授業が増え、画面を見る時間はさらに長くなった。屋外での運動を再三メディアは呼びかけているが、なかなか改善していない。

「中国ではこれから近視人口が増える。市場規模は既に日本の倍で、さらに大きくなる」。上海に駐在する日本の眼鏡メーカーの関係者はこう意気込んでいた。だが現実はなかなか深刻で、こうした傾向に歯止めがかかる兆しは見られない。

「モーレツ労働社会」が進行

中国ではこうした事情に加え、残業のストレスが追い打ちをかけている。中国の政治体制は社会主義だが、その労働環境の過酷さは一昔前の日本の高度成長期やバブルの時代か、それ以上だ。

上海のある企業幹部によると、「グローバルに展開しようとする企業の社員なら、夜中も普通に働いている。深夜になってから突然会議を始めるのはざらで、夜中に社員にチャットで呼びかけると、部下からすごいスピードで返事が返ってくる」という。

勤務時間外のやりとりは日本では問題視されるが、中国では「チャットの返事が遅い＝仕事や昇進の機会を逃す」といい、「労働規制などあってないようなもの」だそうだ。

筆者の駐在時期、「九九六」という言葉があちこちで語られていた。二〇一九年一月に中国メディアが伝えていたのはこんな内容だ。

「九九六とはつまり、毎日午前九時から夜九時まで、週六日働き通すことだ。しかしこんなものではない。夜一〇時まで（退勤を）待つのが『新常態』だ。この時間こそ、タクシーをつかまえるのが一番難しい時間だ、と深圳の三〇歳の企業幹部はいう。

週末でも自ら進んで残業するのが普通だ。中国の科学技術企業では、長時間の仕事について、既に明文化されない（暗黙の）ルールになっている。トップの労働時間は九九六どころではない。仕事量が多すぎて残業なしでは業務を成し遂げられない。企業では上から下までの社員が努力すれば住居や仕事が保証されることを知っている。

ベンチャー企業が九九六文化を推し進める理由は、上場すれば大きなリターンを得られるからだ。九九六は避けられない。早く商品を市場に出して競争に勝たなければ黄金のチャンスを逃してしまう。中国のソーシャルメディアの中には、新職業について『〇〇七制（〇時に出勤し、〇時に退勤、週に七日勤務＝つまり仕事以外の時間はゼロ）』という言葉さえ出ている」

中国には労働時間を定める労働法があり、一日に八時間、週に四四時間を超えてはならないとされる。だが実際には、こうした規定は有名無実化され、かつての日本のような「モーレツ労働社会」が進行中だ。

九九六の言葉が出始めた時、アリババ集団の創業者、馬雲氏は「個人的には、九九六ができるのは大きな幸運だと思う。多くの企業では九九六をしたくても機会がない。若い時に九九六でなくていつ九九六ができるのだ？　一生のうちに九九六がなくて、真に誇りに思えるのか？」と語り、賛否の議論が巻き起こった。

長時間労働については、ホワイトカラーの八割が残業が日常化しているとし、残業がないという回答は約一八％にとどまる。業界で見ればメーカーや技術系に多く、「プレッシャーが大きいうえに家族と過ごす時間がなく、今年の中秋節は食堂で食事をして月餅を食べたら涙が出てきた」「夜は最終バスの後で基本はタクシーの帰宅。だが残業代もなく、残業ができないと言うのは不可能だ」といった声も伝えられている。筆者が幼いころに日本でもよく聞かれた話にも重なる。

このような過重労働が中国で新たなイノベーションや新たなサービスを生み出し、夜に余暇を楽しむ「夜経済」を後押ししている面もあるが、学校の教師や芸能界も同様らしく、うつ病のリスクも時折伝えられていた。

これに加え、通勤のストレスもかなりのものだ。北京や上海での平均の通勤時間は約一時間。人によっては二時間近くかける人もざらだった。

東日本大震災後に日本留学から帰国し、上海のコンビニチェーンで働いているという二〇代の若者と話した時、「この通勤時間の長さには耐えられない。本当はすぐにでも日本に戻りたい」としみじみ語っていた。彼女は上海の東側から西側まで、片道二時間半かけて通勤していた。

髪が大量に抜ける若者

睡眠不足も恒常化しているようだ。重度の睡眠不足の患者の六割が一九九〇年代生まれの二五〜二九歳で、北京や上海、広州といった大都市に住み、金融やサービス業、公務などの仕事に携わっているという。

上海では三〜六歳児の睡眠時間の短さも指摘されていた。ある子どもは幼稚園の後の習い事が午後六時半から午後八時で、その後オンラインで英語を学ぶと寝るのは夜一〇時に

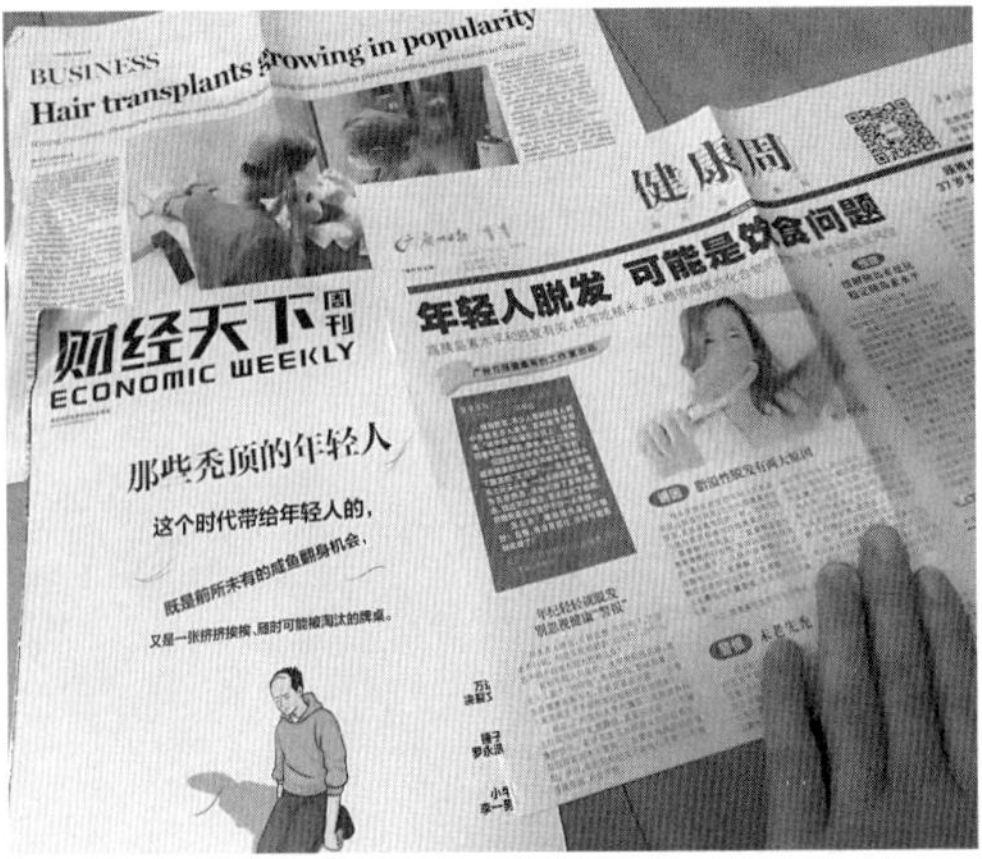

若者の頭髪が抜け落ちる現象を報じる中国メディア

なる。さらに上の年齢でも、約六三%が毎日の睡眠時間が「八時間以下」という結果だった。

睡眠の状況がすぐれない青少年のうち、約四二%が寝る前にテレビやスマホ、パソコンを見ていた。専門家は「睡眠状況の良い子のほうが学力が高く、効率も良く、作業時間も短い。睡眠状況のすぐれない子は注意が集中できないことが起きやすく、記憶力も落ち、腹を立てやすい」と中国紙に語っている。

若者の間では、髪が大量に抜ける現象も起きている。生活のストレスや徹夜、不規則な食生活が影響し、「中国の男性は上の世代より二〇年、髪が薄くなるのが早くなった。IT業界でよく見られる現象だ」とメディアは伝えており、「多くの学生がそう実感しており、今後一〇年は中国の毛髪健康産業は二・六倍に拡大する」との見通しを伝えていた。

仕事から帰って家で一息つき、寝る前にスマホでドラマやゲーム、買い物のサイトをざっと見てから寝る。だがどうも寝つきが悪い。そんな中国人の日常の生活リズムが浮かび上がってくる。

中国メディア「人民網」は二〇一九年、中国の健康を妨げる五つの原因を列挙し、対策が必要だとした。

・スマホから離れられない。デジタル時代になり、世界のさまざまな情報がスマホへと流れ込んでくるというのに、私たちは以前よりも孤独になった。なぜなら人間は感覚器官を通じて交流する必要があるからだ。手で触れた際の感触、視線、嗅覚、笑い、涙を流すといったさまざまなつながりが必要なのに、これらはデジタルな交流においては見落とされている。

・「二重生活」を送っている。「人と一緒にいて楽しい」というイメージを示したい一方で、扉を閉ざして飲食や暴飲暴食、または浮気や不倫といった方法で不安を和らげている。こうした人はたいてい長時間にわたり、ハードな仕事をする必要があるため、人前にいる時とそうでない時とで「分裂」してしまい、不安を払いのけることができない。

・人々はおしなべて健康に対する憂慮を抱くようになっている。

・「より完璧な外見を目指すこと」によるプレッシャーを感じている。人々は外見にますます注目するようになり、多くの人が「自分よりもっと上がいる」と思って自分の外見に嫌悪感を抱き、それが不安の原因になっている。ＳＮＳメディアもこうした点に対する注目をあおり、不安を助長している。

・若者は自分に合った伴侶を見つけたいと思う一方で、うまく関係を築けずに孤独な老後を過ごすことを心配している。

のだという。

「寝そべり族」の出現

日々激しい競争にさらされ続け、通勤・勤務時間は長く、家や車、貯金がなければ結婚もままならない。理想の相手の条件を高め続けた結果、相手を見つけるのも難しい。家や家賃は高く、子供の教育費に貯金がどんどん割かれていく。中国人の生活は、見方によっては悩みやストレスだらけだ。

こうした強いプレッシャーを背景に、競争から離脱し、楽な生活で満足しようとする「寝そべり族」の若者が現れ始めた。中国メディアはこうした傾向を批判する事態になっている。筆者がいた約二年半の間に、上海の中心では至るところで犬や猫、ペットショップや動物病院が目に見えて増えていた。こうした変化も、人々が身近な「癒やし」をより求めるようになった表れだろう。

こうした中国の人たちにとって、のどかな日本の田園風景は、まさに理想の場所の一つに見えてくるのではないだろうか。

第5章 新型コロナに揺れる中国

スマホから感染者の位置情報を特定できた＝2020年

中国湖北省の武漢で最初に感染爆発が起きた新型コロナウイルス。その後日本を含む世界に波及し、長期の大混乱が収まらない。武漢を流れる長江の下流に位置するのが上海だ。筆者は発生直後から二〇二〇年九月の帰任まで上海で取材していた。コロナ禍で中国では何が起き、社会はどう動いていたのかを振り返ってみたい。

中国式コロナ対策

中国政府や各地の当局はどんな対策を打ち出し、患者や死者の増加を食い止めていたのか。

一月二三日に湖北省武漢市で「都市封鎖」をし、まず人や交通、市内外の往来の制限が始まった。マンションなどの出入り人数を世帯ごとに最小限にした。医療体制を拡充し、武漢市では「雷神山医院」などを一〇日間余りで建設。マスクや防護服を湖北省に集中させ、上海などから病院関係者が次々と武漢入りした。

習近平国家主席は「人民戦争」と表現し、続々と軍を投入していった。ある政府関係者は「まさにこれは本気の戦いだ」と真顔で語っていた。

上海でも次々に対策が打ち出された。人の集まる公園やホール、映画館が閉じられた。駅やデパートなどの公共の場所では検温を義務づけた。外出時のマスク着用が必須になり、主要オフィスの出入りは禁じられ、メインの空調（暖房）が長い間止まってしまった。

各地のマンションでは「居民委員会」と呼ばれる住民組織の管理が続いた。出入りで居住証明の提示が必要になり、荷物や食事の配送員は入れない。エレベーターのボタンにはラップが貼られ、頻繁に交換された。さらに家庭の食習慣が見直された。

この間も、スマホは手放せなかった。データや個人情報をもとに、感染者が確認されればアプリで所在や経過日数を確認できた。二月に「健康コード」が導入され、リスクの度合いが三色で表示された。スマホ情報を通じた情報統制はさらに多岐にわたり、強まっている。

医療制度や体制、地域事情、衛生管理の考え方で日本との違いはある。日本では考えられないような厳しい「ゼロ・コロナ」対策だと言える。国外から見れば異様な管理だが、多くの国民が「そういうものだ」と受け入れている。

だが、それでも陝西省西安で二一年末に都市封鎖に追い込まれるなど各地で感染確認が報告されており、完全に抑えるまでには至っていない。

封鎖から半年後の武漢

最初の感染爆発が起きた武漢の面積は兵庫県とほぼ同じで、人口は一一〇〇万人を超える。内陸部湖北省の省都で長江中流に位置する工業都市だ。自動車や鉄鋼産業などが集積する。武漢市の域内総生産（GDP）はベトナムに匹敵する。日本でいえば福岡、熊本、佐賀の三県を合わせた規模だ。日本からはホンダや日産、イオンなど約一六〇社（二〇一九年一二月当時）が進出していた。

市の中央を長江が流れ、古くから交通の要衝として発展してきた。市内では地下鉄整備も進み、約一〇路線が走る。習近平指導部が掲げる「一帯一路」構想の内陸部の重要拠点でもある。国内では大学数が北京市に次いで二番目に多く、高等教育機関が八〇校以上ある。学生数は約一二〇万人で、市の人口の一〇人に一人が大学生という若者の多い街だ。市政府は卒業生の武漢への定住を支援している。

ここは感染爆発直後、何が起きているのかなかなか分からない状態が続いた。その後都市封鎖は解除され、二〇二〇年五月、全市民に大規模なＰＣＲ検査を実施。感染リスクは大きく下がった。

都市封鎖から半年の節目を前に、高速鉄道で武漢に入った。

街の大混乱は収まっていたが、市民に話を聞くと、都市封鎖の生々しい記憶を次々に口にした。

海鮮市場周辺では厳しい監視

看板は塗りつぶされ、高さが二メートルはある青いフェンスで囲われていた。二〇二〇年の元日に閉鎖された武漢の「華南海鮮卸売市場」。新型コロナウイルスの最初の集団感

フェンスに覆われた華南海鮮卸売市場の入り口＝武漢市、2020年７月

染は、一九年一二月にここで発生した。震源地の武漢は一月二三日に都市封鎖され、四月に解除されて街は活気を帯び始めたが、当局の厳格な情報管理はその後も続いていた。

フェンスのすき間から中をのぞくと、入り口は黒いシートで覆われ奥の様子は分からない。

突然、短髪の男二人に囲まれた。「何を撮っているんだ」。黒いＴシャツには「中国」「保安」の文字。当局者と見られる。デジタルカメラに残る映像をすべてチェックされ、約三〇分間、質問攻めにあった。その後やってきた制服警官が言った。「すぐ立ち去れ」

近くの飲食店で働く二〇代の女性は「ここは敏感な場所だ。用がなければ近寄らない」と話した。

五ヘクタールという広大な敷地には海鮮の

武漢ウイルス研究所＝2020年７月

食材や醤油、味噌なども並び、「何でも手に入る」市場としてにぎわった。

ただ、取材に応じた人の多くは「（感染源の可能性が疑われる）コウモリやタケネズミといった野生動物は目にしたことがない」と口をそろえた。一方で「注文があれば裏で調達していたのでは」と話す人もいた。

漢口駅から約三〇キロ南の「中国科学院武漢ウイルス研究所」。研究所周辺はひっそりとし、入り口付近で警官が目を光らせていた。ここは世界保健機関（ＷＨＯ）の調査団も訪れた。米国側はここが発生源である可能性を指摘しているが、中国側はその見方を否定している。

武漢市は中国の公衆衛生研究の主要拠点になっている。中国メディアによると、研究所はウイルス学の基礎研究や農業の発展などを目的に一九五六年に設立。所内にはＰ４実験室と呼ばれ、致死率の高いウイルスの研究施設がある。Ｐは「プロテクト（保護）」を意味し、Ｐ４が最も危険レベルが高い。実験室は、二〇〇三年に流行した重症急性呼吸器症候群（ＳＡＲＳ）の教訓を踏まえ、フランスと協力し建設を進めて一五年に完成、一八年にアジア初のＰ４実験室となった。「中国で唯一の『ウイルス標本館』」とされている。

施設には汚水処理や空調設備を備える。実験室の出入りにはシャワーを浴びたり、消毒されたりで三〇分以上の作業を要するとしている。

研究所に在籍する研究者は二〇年四月、中国メディアに「研究所の主要任務は薬物開発やワクチン研究、ウイルスの病原や特徴の調査だ。新型コロナの発生以降、この研究に取り組むが、研究所の近辺で発生したことは絶対にあり得ない」と主張。「実験室は欧米と同様に厳格に管理している」と説明したが、米国側の疑念は払拭されていない。

武漢の街頭には多数の監視カメラが設置されており、その数は上海をしのぐ印象だ。公安当局の車両も目立つ。

病院関係者や大学生らに取材を依頼したが、実名で本音を語ってくれる人を見つけるのは難しかった。カウンセラーの女性は「上司の意見を聞き、私自身も慎重に考え、今回は取材を受けられない」と、断った。

地元の日系企業関係者は「武漢は経済活動を軌道に乗せることを急いでいる。投資を呼び込むには『安全な武漢』を強調しなければならない。市民の苦しみや心の傷といった内容が国内外に紹介されることをうれしく思わない側面もある」と語った。

就職難、残る傷痕

「毎日消毒」「特別価格」。武漢の中規模ホテルでは、こんな表示が掲げられていた。解除から三カ月以上が過ぎ、宿泊したホテルは一泊一八八元（約三四〇〇円）と、新型コロナ発生前の約三分の二にまで落ち込んでいた。「一月から生徒がまったくいないので経営は楽ではない。政府の事業規制は厳しい」。武漢市内で日本語学校「平成教育」を経営する男性（六〇）が残念そうに話していた。

経済の低迷による大学生や若者への影響も深刻だった。大学を卒業したばかりの女性（二二）は「オンラインで面接を何度か受けたが『武漢出身』と言っただけで採用担当者に言葉を遮られ、満足に話せないこともあった」と嘆いていた。学生らは就職難に見舞われていた。

武漢では一月から三月ごろにかけて、病院は感染した患者であふれていた。華南海鮮卸売市場の近くに住む二〇代の女性は、看護師の知人からこんな話を聞いたという。「病院のベッドが足りず、夜に感染者と同じ部屋で寝ざるを得なかった。家族にうつす可能性もあり、長い間自宅に戻れなかった」「妊婦は出産して二、三時間後に帰宅させられた」

都市封鎖の間も武漢で過ごした四〇代の日系企業駐在員らもこう振り返った。「感染爆発が起きた直後、屋外で泣き叫ぶ人がいた。『何だろう』と思ったら、病院で治療を断られた人たちで、そばにいた人から『感染者だから近寄ってはいけない』と止められた」「防護服は、トイレに行くためでも一度脱いだら捨てる決まりだが、（医療関係者は）数が足りないのでおむつを着けて治療にあたったと聞いた」

市民の緊張が解け始めるきっかけは、全市民を対象にした二〇二〇年五月からのPCR検査だ。「市民が自分の感染の有無を確認でき、安心感が一気に広がった」（武漢の日本人駐在員）

一方、新型コロナの流行を機に、市民の価値観は変わった。各地の公衆トイレは数時間おきに消毒され、衛生意識が高まっている。「お金よりも大切なのは健康や命」。そう口にする人も多かった。

乗車したタクシーで料金を現金で支払おうとすると、運転手の男性がぎょっとした表情を見せた。「感染リスクがあるので怖いから、現金は……」。街ではスマホ決済がさらに普及しそうだ。降り際にこう言った。

「でも、検査が終わったのでもう安心だ。徐々に人の動きも元に戻るだろう」

上海では何が起きていたのか

武漢を流れる長江の約七〇〇キロ下流に位置するのが上海だ。振り返ると、武漢の感染爆発の情報は二〇二〇年一月から聞かれるようになった。

「かつてのSARSの再来ではないか」。そんな情報が少しずつ流れ始めた。だが当局の反応は鈍かった。

国内の雰囲気は例年通りだった。春節休みを前にビザ発給作業はピークを迎え、総領事館ではシールの貼り付け作業に追われていた。多くの人が国内外各地に出かける気で満々だった。

だが、次第に事態は深刻になった。上海でも市民から「マスクを買わなくては」という声が上がり始め、日本に旅行する親戚にマスクや薬の購入を頼む人が続出、上海の中心地・静安寺近くのスーパーなどでも買い集める動きが広がった。

例年、春節期間中は出稼ぎの人たちは故郷に帰るため、上海の街は閑散としている。今回の感染も当初は「一時的なもので春節明けにはまた元に戻るのでは」と思っていたが、考えが甘かった。春節が終わっても、人が地方から戻ってこない。野菜を中心に買いだめが集中し、スーパーからは食材が次第に減っていく。がらんとした街を歩きながら事態の重大さを感じるようになった（武漢や北京で起きていたことについては、『ドキュメント武漢』〈早川真著、平凡社新書〉に詳しい）。

邦人が相次いで帰国

肺炎の感染拡大を受け、中国の在留邦人が帰国や出国をし始めた。

「子どもの学校の休みが長期化しそうなので」。上海滞在が一年半になる三〇代の女性は虹橋空港でこう話した。子どもは上海の国際学校に通うが、登校できるのは二月からだという。「上海にいるつもりだったが、外にも出られない」と理由を語った。

上海近郊の蘇州で日系物流会社に勤務する四〇代の男性は、「高速道路の出入り口が封鎖され、コンビニエンスストアの商品の多くが品切れになるなど、通常の生活も次第にままならなくなってきた。本社から早めに戻るよう連絡があった」と話した。

上海で登録されている日系企業は約一万社で、中国全体の約三分の一の規模だ。蘇州に工場を置く企業も多く、「生産活動に重大な影響が出る」と懸念する声も出た。

市民生活への影響は日々変わる。マスクが不足し、薬局前ではマスクなどを求める人たちが長い列を作っている。通常の二倍近い価格で売り、当局に処分された店も出た。

このころ、武漢では四五〇〇人以上が感染し、一六〇〇人以上が死亡していた。湖北省の幹部は記者会見で「医療の力量が不足し、各地で困難に直面している。感染は農村に広がっている」と支援を求めた。

中国の春節（旧正月）の大型連休が終わったころ、一部地域では地方政府の重要会議も開けなくなるなど混乱が続き、この年の全国人民代表大会（全人代＝例年は三月開催）の政治日程にも影響した。

日本からの支援物資

二月に入ると、マスクはさらに足りなくなった。中国メディアによると、一月二四日から二月二日までにマスク二億二〇〇〇万枚を国外から輸入。中国は世界最大のマスク生産・輸出国で年間の生産量は世界の約五〇％を占め、一日で最大約二〇〇〇万枚以上を生産できたが、春節の連休で国内の生産能力が回復せず、深刻な不足に陥った。

この時期、日本のＮＰＯや自治体などからの支援物資が中国に相次いで届いた。中国国内ではは苦境が続き、インターネット上では日本への謝意の言葉があふれた。

上海の浦東国際空港には二月、ＮＰＯ「ピースウィンズ・ジャパン」（広島県）が佐賀県から運んだ防護服やマスクなどが到着した。空港で受け取った上海市公共衛生臨床センターの張暁雨さん（三六）は「支援は本当にありがたい」と話した。米国との冷え込む関係が続く中、日本からの支援は特に中国人の心に重く響いたのは間違いなかった。

武漢市と友好都市締結四〇年余りになる大分市や、重慶市と友好交流都市の水戸市などもマスクを送った。

中国外務省の華春瑩報道局長は定例記者会見で、日本からの支援に謝意を表し「武漢に送られた箱には『山や川、国土が異なろうとも、風や月は同じ天の下でつながっている』などと書かれていた」と紹介した。

中国では中国人観光客の再訪を待つ日本人の動画が伝えられ、中国版ツイッター「微博」では「日本の多くの店には武漢を応援する表示がある。ありがとう」などと書き込まれていた。

中国でこうした動きが広がるのは政治的な要素も働いているが、この時期は中国側もかなり切羽詰まった状況だったのは確かだ。

混乱続く武漢

二月に入り、都市封鎖が続いている武漢の市民に連絡を取り、状況や心境を聞いてみた。移動を制限され、多くが自宅で沈静化を待っているという。封鎖の長期化で市民の間では疲労感や将来への不安が広がっていた。

「家の中にいて退屈している。できることは限られている。寝ているか、ドラマを見るか、スマホをいじるか。家族と『これからどうしよう』と毎日話し合っている」

武漢市中心部・漢陽区に住む大学四年の女子学生（二二）はこう語った。自宅の近くではタクシーやバスでの移動もできず、同じ団地から感染者が二人出たとの情報も飛び交う。外出に不安を感じ、極力控えているという。

当局の行動の監視は厳しいものだった。団地の入り口では検温され、住民の出入りは警備員に監視される。食事や商品の配達は来るが団地の中には入れない。母親が近くのスーパーに時々買い出しに行き食材は入手できるが、値段が割高なうえ混雑で買い物に二時間近くかかっていた。

湖北省内の大学に通うこの女子学生は二月一〇日ごろに新学期が始まる予定だったが、大学から最近「戻らないで」と連絡があった。一番、不安なのは進路だ。「元々将来について悩んでいたが、この先いつまで自宅にいればいいのか予想できないし、不確定要素が多すぎる」。女子学生は「困っています」と繰り返し、ため息をついた。工場に勤める父親も、仕事ができずに家にいることで精神的に疲弊していた。

水際対策を強化

このころ、上海で暮らす日本人の生活にも影響が出ていた。住宅やオフィスビルの出入り、配送サービスなどが規制され、自宅勤務を余儀なくされている駐在員は少なくなかった。

「通行証を見せなさい」。筆者の自宅がある上海市長寧区の団地では二月から、臨時の「出入証」が交付された。これを入り口の警備員に見せないと自宅に戻れなくなった。配達員からの感染を防ぐため、荷物や出前の食べ物を所定の場所に置いて立ち去ってもらう「無接触配送」が始まった。

上海市はこの時期、患者との接触経験や病歴の虚偽報告、医者の診察の回避に対する処罰規定を定めた。またデパートやスーパーへ行く時にはマスク着用や体温計測を法的に市民に義務づけた。市内の地下鉄駅で中国人男性（四四）が係員を無視してマスク未着用で乗車しようとしたとして初めて拘束された。

上海市当局はこの時期、感染拡大の防止に向けたルールを次々に設け、市民生活への指導をさらに強めていった。

春節（旧正月）の連休が終了後には企業活動も徐々に再開したが、感染を懸念して移動を控えている人が少なくなかった。さらに当局は、従業員の接触や密集を減らす目的で、各企業にフロアや部門別に時差出勤を求める通告を出した。

また、エアコンで環流する空気が感染を広げる懸念があるとして、オフィスビルでは空調設備を使わないよう要請。不動産会社に勤務する男性（三四）は「ビルの暖房が止められてしまい、室内も冷え込むので上着をまとって仕事をしている。いつまで続くか分からないが、市政府の指導なのでこうするしかない」と話した。

感染者の特定のため、スマホのスキャンを求める上海の地下鉄車内のステッカー＝2020年２月

二月二八日からは地下鉄のそれぞれの車両の窓にQRコードのステッカーが貼られた。これにスマートフォンをかざすと、乗っている車両の番号が表示される。この登録によって、仮に感染した場合には実名やルートをたどれる仕組みだ。市民に登録を奨励していた。

また取材で市内の工場に入る時は、スマホ用アプリ「ビッグデータ伝染病防止行程検索サポート」への事前登録が求められた。電話番号を入力すると、過去一四日間に滞在した都市がスマホに表示される。スマホを持ち歩く限り、所在が特定され移動の虚偽報告はできない。

街を歩けば、ビニール袋で手や全身を覆う人もいた。スマホには連日、外出を控えることなどを勧めるメールが届く。地下鉄ではマスク着用を求める電光掲示板が繰り返し表示されていた。

市内ではすべての地下鉄駅で検温が実施され始めた。コンビニエンスストアなどの店舗も当局の要請を受け、マスク未着用での入店を禁じた。

こうした新たな水際対策が次々に打ち出されていった。

三月に入ると、日本でも感染拡大が懸念される状況になってきていた。アリババグループ創業者の馬雲氏の基金は新型コロナウイルスの感染対策のため一〇〇万枚のマスクを日本側に寄付した。この時期になると、各国にマスクを送る余力が少しずつ出始めた。

馬氏は寄付について「中国の医療物資が最も不足している時期に、日本の皆様がマスクや防護服などの物資を幾度も寄付してくれた」と感謝のメッセージを出した。

オンライン診療が本格化

コロナ禍を経て、中国社会ではさまざまな変化が生まれた。かねてからデジタル化が進んでいたが、人との接触を避けるため、さらに拍車がかかった。その一つがオンライン診療だった。

上海市中心部にある復旦大学附属中山医院。オンライン画面に、女性患者とマスクを着けた女性医師が映し出された。

患者「パリの大学で働いているのですが、新型コロナウイルスの感染が深刻で、ちょっと体調の不安を感じたので問い合わせました。せきが出て頭痛がします」
医師「血圧、体温は自分で測りましたか」
患者「測りましたが発熱はありません」
医師「最近人の密集した場所に行きましたか」
患者「最近は外に出るのは減らしています」
医師「いろいろ話を聞くと、おそらく普通の風邪です。もしせきがひどくなり、胸が苦しくなったら病院に行って下さい。この二日は家で多く水を飲み、外気を通して手も洗って下さい」

こうした患者とのオンライン診療の様子が三月、国内外メディアに公開された。チベット自治区に住む男性患者が問い合わせる様子も映し出され、地元の病院で出された検査結果を画面に掲示しながら相談していた。

病院では一月に二四時間対応の発熱の問い合わせ窓口を開設した。二一〇人の専門家がスマートフォンの画面で応対していた。主に体の状態を聞きながら、自宅待機や隔離すべきかなどを助言する。

上海では二〇一五年ごろからオンライン診療が本格化した。スマートフォンのアプリなどを通して診療費用を確認し、医師を選べる。支払いはスマホで可能だ。病院の担当者は

メディア向けに公開されたオンライン診療の様子＝上海市、2020年3月

「薬剤師や三年以上の経験を持った医師が応じる態勢を備えている」と説明した。

感染拡大で、二月下旬から件数は急増した。次世代移動通信規格「5G」技術が利用され、利便性は高まる可能性があるが、担当者は「多くの人が一度に問い合わせた時にどう対応するか。それをどう調整するか。今後は人工知能（AI）を駆使していくが、遠距離で血液や心臓の状態を把握できるようにしたい」と語った。

眼科受診の子どもが急増

厳しい規制で外出もままならなくなったことで顕著に表れたのが若者らの視力の低下だ。自宅で過ごす時間が増え、慢性的にスマートフォンやパソコンの画面を見るようになったためだ。

「普段は朝八時から午後三時までオンライン授業がある。論文やレポートを書く時は、寝るまで画面を見続ける。気晴らしは、インターネットで映画を見ること。最近は目が疲れて肩の調子が悪い」

上海市の名門・華東師範大学に在籍する女子学生（二〇）が嘆いた。

子どもの視力低下の問題の深刻化は先に紹介した通りだ。地元メディアによると、上海市内の小学生の近視率は四五％。中学生は六〇〜七〇％、高校生は八五％に達する。そこに新型コロナ対策による外出規制が拍車をかけた。家でパソコンなどを使って学習や資料の閲覧、ゲームに時間を費やし、目にはさらに負担がかかっていた。

上海市では四月下旬に高三と中三から授業が再開され、徐々に対象が拡大されたが、報道によると、眼科を受診する子どもが急増。六月に入り、一日に一五〇人の子どもが来た病院もある。保護者は「学校で決められたオンライン授業以外に補習もあった。授業の再開前は画面を見る時間が一日八時間を超えていた」などと訴えた。

野生動物は取引禁止に

コロナ禍によって、中国人の食生活が変わり始めた。食事で口にする動物や、食べ方などの食習慣の見直しに政府が本腰を入れ、野生動物を食べることや皿や箸の使い方への規制が始まったのだ。

「市場の中ではこれは売れないからこっちに来て」。江蘇省無錫市内の農作物市場の近くで二〇二〇年五月、筆者は市場の男性に手招きされた。市場内では元々、野菜売り場の近くに生きた動物の売り場があったが、既に閉鎖され、壁の張り紙には電話番号が書かれていた。電話をすると、間もなく男性が現れた。

市場から五〇メートルほど離れた場所で、生きたハトが一羽四五元（約八一〇円）で売られていた。男性によると、地元当局が最近、生きた家畜や野生動物への管理を強め、市場の敷地では取引できなくなった。「そのまま市場で売ったら罰金を取られる。仕方なく外でひそかに売っているんだ」と周囲の目を気にしていた。

中国では新型コロナウイルスの感染拡大後、動物の管理が厳しくなった。全人代常務委員会は二〇年二月、一般的な家畜ではない野生動物の取引を禁じる方針を決めた。四月には家畜と指定する動物のリスト案を公表し、コウモリや犬、タケネズミなどを外した。共産党関係者によると、地方政府などが来客をもてなす際、地元で捕獲した野生動物を「珍味」として提供することがあったが、こうした動きへの規制が強まった。

一方、「取り分け専用箸」の使用や料理を小皿に分ける「分餐《ぶんさん》」の導入も進んだ。一つの料理を大きな皿や鍋に盛り、各自の箸でつまむ従来の習慣が、唾液を通じて感染を引き起こすとの懸念からだった。感染拡大の状況にもよるが、コロナ禍の苦い経験がこれまで長く定着していた習慣を変える契機になっていくのかもしれない。

「対口支援」と医療関係者への視線

メディアで報じられているように、中国の新型コロナ対策はデジタル技術を駆使した徹底した管理で、一人でも多くの感染者や濃厚接触者をいち早く特定して隔離し、集中して治療する「ゼロ・コロナ」が基本だった。

これ以外に筆者が注目した事例がいくつかある。

まずは湖北省各地で導入された「対口支援《たいこう》」だ。中国では二〇〇八年の四川大地震の際、中央政府が豊かな大都市に被災地のそれぞれの地区の支援を割り当てた。コロナ禍で湖北省が危機に見舞われた際、中国政府は再びこの制度を導入した。

中国紙によると、国家衛生健康委員会が感染状況や人的資源、医療不足を踏まえて一九の省を武漢市以外の一六の市・県にマッチングし、「対口支援」の枠組みを急いで構築した。武漢市の東に隣接する黄岡市には山東省や湖南省、西側の孝感市には重慶市や黒竜江省を割り当てた。各省の担当幹部は現地の担当者と調整して医療関係者を派遣し、患者の治癒率を上げ、死亡率を下げていったという。

共産党機関紙「人民日報」は二月一四日、対口支援について「四川の被災地には数年の間、地元の幹部を助け、家屋を再建した。脱貧困政策でも人的、物的、財力的に貧しい地域を助け、大きな成功を収めてきた。重大な任務を前にして、『対口支援』が有効だったことは事実が証明している」と論評した。

日本でも自然災害のリスクは高まっている。一八年の西日本豪雨の際、仙台市や新潟市などの関係者が現地で支援した。既に日本の自治体同士で災害時の応援協定を結んでいる例もあるが、危機に備えて距離の遠い自治体同士でより強いマッチングを進めておくことは検討の余地があるのではないだろうか。

国外の友好都市との交流に限らず、日本国内でも「友好自治体」の相互関係を一つでも多く築き、緊急時には余力のある側が支援することで、遠く離れたその土地の人たちが一気に近く、目の前に見える存在に変わっていくのではないだろうか。

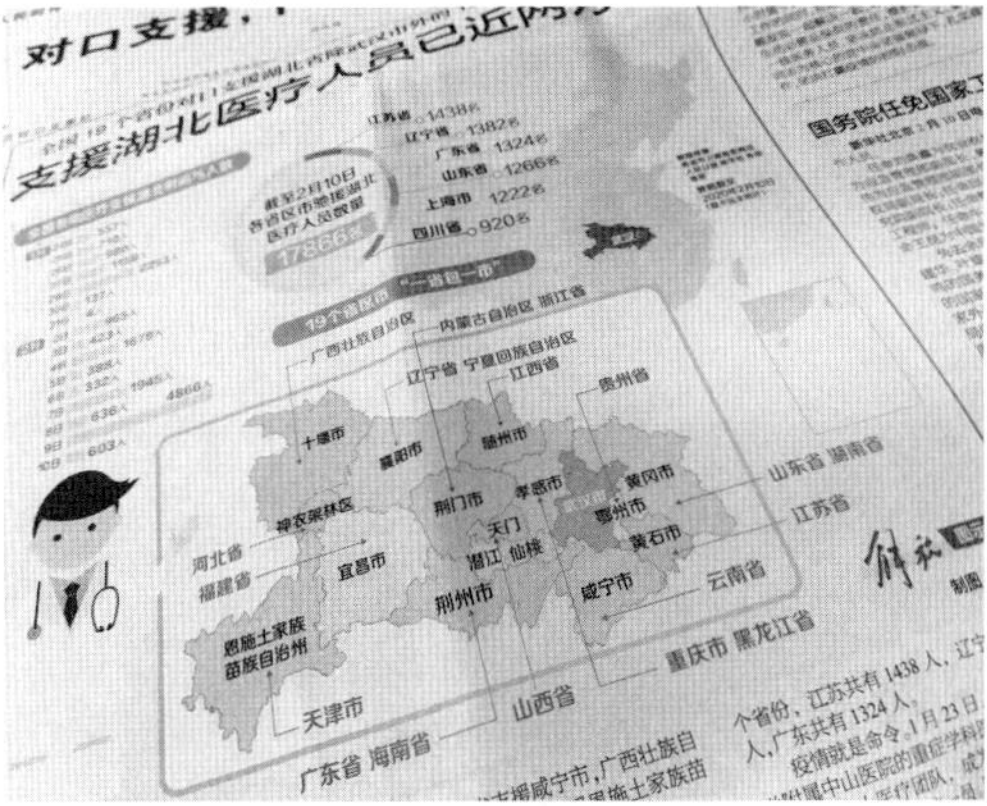

湖北省の地域ごとに省外各地からの医療支援を割り当てたことを伝える中国紙

もう一つ印象深かったのは、医療関係者の存在感の大きさだ。上海では、医療関係者に対しては市民が敬意を表し、映画鑑賞や食事などでの特典を各業界が設けたりしていた。

新型コロナウイルスの患者の治療に当たった医療関係者の顔を掲載する中国紙

また中国メディアも、最前線で働く若い看護師の姿を大々的に伝え、勇気づけられていた医療関係者は少なくなかったようだ。

日本はどうか。医療関係者は同様に日々命がけで患者の治療にあたっていたのに、感染を懸念されたり、差別的な扱いを受けたりしていた。また現場の個々の人たちの働きぶりが紹介されても、その人たちは一体誰なのかがなかなか見えにくかった。特に東京五輪期間中、選手らの活躍ぶりは連日大々的に伝えられていたが、医療関係者の陰の支えは見えにくかった。

激務の中で患者の治療に励み、それを誇りにする医療関係者の姿を中国で見ていただけに、日本との大きな違いを感じた。コロナ禍の緊急時には、医療関係者を対象にした支援やサービスがもっと用意され、堂々と治療にあたれるように社会全体で支えていく機運がもっとあって良いのではないだろうか。

武漢の作家に聞く

新型コロナウイルスのために封鎖された中国湖北省武漢市での生活をインターネットで発信し、『武漢日記』としてまとめた女性作家が方方《ファンファン》さんだ。方方さんは一九五五年、南京で生まれ、現代中国を代表する作家の一人だ。二歳から武漢で暮らし、武漢大学を卒業後はテレビ局に就職し脚本執筆に従事した。

二〇〇七年からは湖北省作家協会主席も務めた。武漢の都市封鎖下の暮らしをブログにまとめ、その率直な内容は国内外の読者の間で大きな反響を呼んだ。

その内容は『武漢日記』（河出書房新

武漢市在住の作家、方方さん（本人提供、Wu Baojian 撮影）

社）として日本でも出版されている。一月二五日〜三月二四日に記した計六〇編で構成している。当局側は日記を巡る反響に神経をとがらせていると見られ、中国では出版されていない。

方方さんは二〇年秋、筆者の書面インタビューに応じた。

――今の心境は？

「悲喜こもごもだ。喜ばしい点は、武漢で新型コロナウイルスの感染拡大が抑えられ、私たちの生活が過去の状態に戻ったことだ。今は都市中が生気に満ちている。悲しむべきことは、ウイルスによって亡くなった人たちは二度と戻ってこず、平和を壊された家庭の苦しみは筆舌に尽くしがたいということだ。

今の武漢の人たちの喜びようは、まるでこうした災難がなかったかのようだ。誰も反省せず、ほとんど誰の責任追及もしていない」

――なぜ日記を書き始めたのか。

「都市封鎖が始まって三日目から書き始めた。当時、上海の雑誌の編集長が私に原稿を依頼しており、私に封鎖の状況を書けるかどうかを聞いてきた。それで自分の短文投稿サイト『微博《ウエイボー》』で書き始めた」

――反響は。

「中国国内で非常に大きかった。最初は自分も知らなかった。後で友人が教えてくれた。多くの人が読んでおり、夜中に寝ずに見てくれた人もいたので、毎日正午ごろに発信するようにした。なぜこんなに多くの人が見てくれるのかが分からなかった。武漢以外の多くの人は、都市封鎖の中で過ごしている人がどんな状況かを知らず、私の記録を見てようやく知ったようだ。後で聞いたところでは、書いたものと中国の主流メディアが報じている内容がかなり違っていると聞き、私も驚いた」

――武漢市民の考え方に変化はあるか。

「感染が抑えられ、人々の生活が元に戻ったことは喜ばしいことだ。ただ、武漢の人は非常に過酷な経験をした。現在のように言論空間が狭い状況の中で、多くの人は本当の思いを表現したくてもできず、心の中に思いを押しとどめたままだ。ウイルス発生の反省も、責任追及もされていない。非常に多くの人がこの心のハードルをまだ越せないままだ」

――新型コロナ発生後、政府は対策を講じたが、どのような点を改善すべきか。

「非常に多い。医者の言論の封殺、形式主義や政治最優先、表面的な繁栄を追求する体質を改めなければ前には進めない。こうした体質を放置し、改善を先延ばしにすれば、武漢にとどまらず中国全土の人が今後再び同様のことが起きた際に再度重い対価を支払うことになる」

――中国メディアの新型コロナに関する報道をどう見るか。

「(当局者らの)功績や善行をたたえる内容が目立った。災難ではなく、まるで盛大な記念日でもあったかのような印象だ。こうした点は本当に残念だ。湖北省や武漢のメディアの当局者や責任者は追及されるべきだ。少なくともメディアは住民の生活に関心を向け、政府の動きを監視すべきだ。重大な社会問題や事件、事故が起きれば深く調べ、大衆に真相を提示すべきだ。最初から報道を意図的に選択したり、政府にこびたりすることがあってはならない」

——中国国内では日記に批判的な意見もあった。

「意見を言うのは正常なことだ。ただ、でまかせやぬれぎぬを着せて攻撃し、集団で一人の個人を攻撃するやり方はとても正常とは思えない。批判にも道理が必要で、ぬれぎぬであってはいけない。中国では法律も『政治の正しさ』に従う必要がある。どうやって訴えられるというのか」

——日記の内容に支持を表明したことで、党籍を剝奪されてしまった知識人もいる。

「そうしたやり方に同意はできない。私を支持した人の過去の言動をたどってレッテルを貼り、『政治的に正しくない』という理由で懲罰する。これは文化大革命当時のやり方だ」

——今後、武漢の住民の意識はどう変わるだろうか。

「中国の庶民は利口で従順で、実利を追求する。なので当局側の表向きの立場を自らの考えにして割り切る。当局のやり方や考えが変われば住民も変わるが、当局が変わらなければば住民は変わらない」

――日本の読者に伝えたいことは？

「武漢がコロナで非常に緊張していた時期に日本の人々は武漢に非常に多くの支援をしてくれた。当時、支援品を詰めた箱に『山川異域風月同天』（山や川、国土が異なろうとも、風や月は同じ天の下でつながっている、との意）と書かれているのを見て、私たちは感動で涙した。こうした真心を武漢の人たちは決して忘れない。日本でも早くコロナが収まり、静かな日々が戻ることを心から願っている」

――作家として心に留めていることは何か。

「ただ自分がすべきだと信じることをしているつもりだ」

「後世のため」伝え続けた使命感

『武漢日記』では、一体なぜこうなってしまったのか、責任の所在が判然としない状況への疑問が繰り返し投げかけられる。当局への不満も包み隠さない。中国ではこうした言論は、批判や規制の対象になる。実際にネット上では、日記の内容は何度も削除され、方方さんを「愛国的ではない」と指弾する批判も発信された。

そうした事情を十分知ったうえであえて書き、中国国内で発信し続けることはとても勇気がいる。その源は、市民の経験や抱いた思い、また「実際に見聞きした真実をできる限り忠実に表現し、後世のために記録を偽りなく伝えなくてはならない」という使命感だろう。

コロナ禍が最初に感染爆発を起こした地で何が起き、なぜ拡大したのか。そこから浮かび上がる中国の問題点は何なのか。それを知る手がかりの一つが、この日記であることは間違いない。

日記では、こんな疑問が投げかけられている。

「最初の発見から封鎖までの間に、二〇日以上の時間の浪費があった」

「原因はどこにあるのか」

「(当初武漢に来た専門家チームは)どのような資料を調べたか、どのような状況を把握したか、最後にどのような結論を得たか、誰が最終的な判断を下したのか」

しかし、真相はいまだに分からないままだ。また新たな非常事態が起きれば、同じような対応が繰り返されてしまうのだろうか。

第6章

上海総領事に聞く

顔を合わせて語り合う日中の若者たち。こうして直接言葉を交わす機会はコロナ禍で激減した＝上海日本総領事館、2018年

上海の在留邦人を代表する立場として外交の最前線に立ってきた総領事（大使）は近年の変化をどう見ていたのか。筆者の駐在と同時期だった歴代の二人（片山和之氏は離任直前の二〇一九年の初頭、磯俣秋男氏は就任から約二年後の二〇二一年の初頭）にそれぞれ聞いた。

片山和之さん

かたやま・かずゆき　駐ペルー大使。二〇一五年八月から約三年四カ月にわたり上海総領事。八三年外務省に入省し、北京大学などに留学。国際エネルギー課長、文化交流課長、在マレーシア日本大使館次席公使、在中国日本大使館公使（経済部長）、在ベルギー日本大使館次席公使、在デトロイト総領事を経て一九年一月まで上海総領事を務めた。著書に『ワシントンから眺めた中国』『対中外交の蹉跌――上海と日本人外交官』『歴史秘話外務省研修所――知られざる歩みと実態』がある。

「開放は上海にある」

――総領事の任期を振り返ってみて、所感は。

「中国で五度目の勤務が上海総領事だった。取り組んだのは、在留邦人との関係では生活上の安全、企業支援、邦人子女の教育環境の改善、領事サービスの提供――だった。

上海では、この地域と日本の結びつきの広さや深さを改めて認識した。管轄地域は上海市に加え、江蘇省、浙江省、安徽省、江西省だ。

管轄地域では一六～一七年の規模で日本の対中投資の八〇％、貿易の四五％、在留邦人の四六％、日系企業拠点の七〇％ほどが集中している。国際的に比較すると総人口は約二億六七〇〇万人で米国に次いで世界第四位、経済規模はフランス、英国を抜いてドイツに次ぐ世界五位になる。長江デルタ地域の一体的発展は最近、中国の国家戦略に位置づけられ、習近平国家主席は『開放は上海にある』と述べている」

――上海の印象は。

「痛感したのは、中間層や富裕層の対日好感度の高さだった。

『（日本は）自然が豊かで文化が多様で食事がおいしく、社会も安全でサービスが良い。ただいろんなビジネスの相談には時間がかかる』という感じが多くの上海人が日本に対して抱いている最大公約数の見方のようだった。また若い人たちは日本文化に高い関心がある。

かつて北京の大使館で勤務している時には日中関係の悪化に伴って緊張を感じることがあったが、ここで若者や中間層・富裕層の人たちと接する限り、日中関係の将来は決してマイナス要素ばかりではないのかもしれない、と感じることも少なくなかった。

ハード面では、日本とはスケールの違う交通機関や高速道路といった巨大インフラの整備が非常に早く進んでいる。日本の基準では考えられない規模感で、各地で目にするマンション群を見ても、表面的には日本のものより立派に見えることもある。あっという間にそう変化したのには驚いた。

日系企業の動きを見ると、例えば自動車のガソリンエンジンで日本は中国に負けない自信はあっても、電気自動車になると中国の研究のほうが先に進んでいる、という危機感もある。

日本の場合は、既に与えられたルールの中で最善を尽くして優等生になろう、という発想があるとすれば、中国はむしろ自らに都合の良いルールを作っていく、といった考え方だ。一四億の巨大市場をバックに自らに優位なルールを作ろうとしているというか、そのあたりが中国のダイナミックな点で、戦略だろう。そういう面がある一方で、学術や社会の管理や規制は強まっており、ここは矛盾というか、ちぐはぐした感じがあった。

中国社会には貧富、都市間の格差があるが、これがどう拡大し、縮まっているのか。途轍もない富裕層が生み出される一方で、トータルとして貧富の格差や社会の公正さがどう保たれていて、そもそも人々がそれに満足しているのか、あるいは不満に思っているのか。いずれ何かのきっかけで矛盾が吹き出すのか。その辺の感覚が上海にいるとなかなか見えにくい、と感じていた」

庶民レベルでは「官への不満」も

——日中関係の現状をどう受け止めるか。

「月並みだが、中国は最重要な国の一つだ。経済の面では、好き嫌いの次元を超えたある種の運命共同体で、ウィンウィンの互恵の関係を作らざるを得ない。中国に関係しながら、より国際的なルールに沿う形で発展していくのを期待するしかない。

また日本を訪問した多くの人が日本にポジティブな印象を持って帰国しているという傾向が世論調査でも出ており、文化や人的交流は絶やさず進めていくべきだと思う。

しかし他方で政治や安保面では、日本と中国は基本的な価値を共有できていない。こうした中国が強大になりつつあり、独自の基準に基づく対外外交は懸念材料で、この不確実性への備えが必要になる」

——ここ三〇年余りの日中関係の変化をどう見るか。

「五度の中国勤務を通じて、三つのことが言えるのではないか。

一つ目は『中国の台頭』だ。経済力や軍事力が強まり、国際秩序の形成にも乗り出している。外交的にも中国は対外的に非常に攻撃的な態度を示すようになっている。

二つ目は『対中依存度の高まり』だ。日本のバブル時代の直後、日米貿易摩擦が激しかったころに、日本の対外貿易額に占める米国の割合が確か三割程度で、中国は五％に満たなかったと記憶しているが、近年は米国の割合が下がり、中国が二割を超えるくらいになった。日本社会は訪日観光客や留学生、在日中国人に支えられる面が少しずつ大きくなっている。

また三つ目は、『日本人の対中親近感の低下』だ。天安門事件以降、日本人は特に中国との体制の違いを意識するようになったと思う。人権抑圧の現実を見せつけられると同時に、江沢民時代には愛国主義教育が強化され、歴史問題で日本が標的になった。また日本が続けてきた政府開発援助（ＯＤＡ）が中国国内で過小評価されていることや、尖閣問題なども重なって対中親近感が弱まる結果になった。

身近な例で言うと、私が一九八四年に留学した当時、北京大学の学生たちは多くが貧しい生活を送っていた。私も一日街を歩いてみるといろいろ不便を感じたりして、大学の寮に戻ってはその日の経験を企業の留学生と話したりした。当時留学していた企業の人たちの中には『自分はなぜ米国のビジネススクールではなく、中国に派遣されたのだろう』などと口にしていた人もいた。

私たちが当時、時々ホテルのレストランで食事をすると、一食で中国人の平均月収に達してしまうほどの所得格差があったが、今や当時の学生たちと私たちの収入が逆転してしまい、貧しかった元学生は数億円の不動産を所有し、高級外車を乗り回すような生活になった。逆に『日本はどうしてこんなに物価が安いのか』と言われる時代に変わった。中国はインフレと経済成長が続いているのでそう感じるのだと思う。

変化していないのは『中国共産党一党支配の堅持』という点だろう。ベルリンの壁が崩壊し、ソ連がロシアになった中で中国共産党自身も努力し、一党支配が堅持されてますます集権化が進んだ。私は天安門事件の時に現場にいて、この体制がいつまで持つのかと感じたが、巧みに維持されている。

ただ庶民のレベルでは、『官への不信感』は本質的にあまり変わっていないと思う。中国ではよく『上に政策があれば下に対策あり』と言うが、要するに国がやることを庶民はあまり信用しておらず、自分たちの安全は地縁・血縁でつながったネットワークに頼り、自らを守り発展させていく。そういう点は庶民の知恵と言うか、つまり悲哀、たくましさ、とも言えるのかもしれない」

冷静な若者世代

――上海の人たちの生活については。

「シェア自転車や無人店舗、『アリペイ』『ウィーチャットペイ』といったスマートフォン決済に代表されるようなビッグデータやＩＴにかかわる新たなビジネスモデルができてきた。

また昔なら欧米企業がアジアに拠点を作る時は足がかりが東京になることが多かったと思うが、最近では東京の前に上海に作ることも増えた。

これまで私は日本の政府開発援助（ＯＤＡ）にも携わってきた。かつては垂直的関係、つまり日本が中国を援助する、というものだったが、その後ますます水平補完的な関係になり、さらに一部の分野では中国が日本を上回ることにもなった。

今や上海の人たちと話していても、ほとんど違和感を感じなくなった。生活スタイルや関心が日本とかなり似てきている。美容や健康志向に始まり、趣味は旅行だったりジョギングだったり美術品鑑賞だったりする。無印良品やユニクロのようなシンプルなデザインを求めるようになった。またアニメやエンターテインメントはほぼリアルタイムで日本の若者と同じものを見ていると言っていい。

その一方で党の集権化、管理化が一層洗練された形で進んでいることが矛盾しているようにも思え、不思議な感じがした。中国で外国人はこれまで、良くも悪くも特権階級として扱われてきたが、今後は国の方針に従わないと嫌がらせをされたり拘束される可能性も出てきている。

この国はこの先どこに行くのか、上海から見ていて十分には分かりにくかった面もあった」

――特に上海の学生たちとの交流については。

「総領事公邸に二カ月に一度くらい来てもらい、二時間ほどの懇談を二〇回ほどした。会話をしていて感じたのは、中国国内で日本の存在感は相対的に低下し、国連への分担金でも日本が中国に抜かれたりする中で、若者たちの意識では日本への敬意は薄れているのではないか、と思っていたが、実際に会話をしてみると、実はそう単純ではない、と感じた。若者たちは、中国社会にはない一方で日本には存在しているものを敏感に感じ取っていて、そうした事実を割と冷静にとらえているな、と思った。

彼らは戦争を実際に経験した世代ではないので、過去の中国の苦い思い出と日本を重ねることはない。割と普通の感覚で日本に興味があるという感じだった。アニメなどの影響で日本語に興味を持ったりしていた。大きくてきらびやかなものを好む志向から、もっとシンプルで趣味に合ったものを求めている感じがした。

また若い世代には欧米留学者が珍しくなくなった。欧米とともに日本の姿も実際に見ることで、ますます日本の良さや特徴を発見している面もある。

私が北京の大使館に勤務していたころ、仕事の多くは中央政府相手の政治や経済分野のことで苦労も多かったし、日中関係はなかなか大変だ、と思うことが少なくなかったが、上海の若者や実業家、文化関係者と接していると、日中関係もそんなに悲観的にばかり見る必要はないのかもしれない、と感じたこともあった。

上海の人たちの対日観の面で印象的だったのは、日本人が当たり前と思ってやっていることを、『やっぱり日本人はすごい』と素直に驚いていた。

例えば、日本では一つの仕事を業者に頼めば見張らなくてもきちんと期限通りに作業を終えるのが当たり前だが、中国人によっては『信じられない。中国では現場を常に見ていないと手抜きになることも多い』と話す。日本は互いに信頼関係があり、決してだまされない、という前提で社会が成り立っているが、中国は決してそうではない。『だから日本を旅行すると落ち着く』『日本は歩行者優先で車も譲り合える社会だから素晴らしい』と言われたことがある。

また日本の組織では任期の最終日まで業務を続けるのが通常だが、中国では任期の終わりが間近になると、私利を追求し、権限を最大限に利用して自分に有利な動き方をする人もいるようだ。『最後まできちんと仕事をすることはあり得ない』という話も耳にした。

つまり、中国人にとって日本がますます近くなったことで、そういうわずかな違いを改めて発見し、『日本に比べ、自分たちはまだまだだ』と素直に認めて反省している中国人が実はかなり多い、ということに驚いた。日本の存在感が以前より低くなる中で、逆に日本の良さを評価する見方が出てきていた。生活のレベルに自信や余裕が出てきたことがあるのかもしれない。

一九八〇年代のはじめごろから留学や出稼ぎの立場で裸一貫で日本にやってきた人が、この上海周辺地域には少なくない。その後、彼らは日本のレストランや工事現場で経験を積んだ。帰国してビジネスを立ち上げて成功した人と上海などで会うと、『かつては日本で苦労したが、その時には節目ごとに資金的に助けてくれたり保証人になってくれるような親切な人に救われた』と話す人が少なくなかった。そういう人たちは今もなかなか中国で表立っては日本を持ち上げられないものの、日中関係の改善に役立ちたい、と心から思っているようだ。

中国では、日本の軍服を着たり、日本を賛美する人が出てきて、当局が取り締まりに乗り出している。過去を経験した人から見れば信じられない考え方だが、複雑な歴史的背景を飛び越している人がこの社会に出始めていることにはとても驚いている」

引っ越しのできない隣人関係

——文化関連の活動で感じたことは。

「書道家や篆刻《てんこく》家、画家、音楽家との交流の機会が少なくなかった。特に上海の音楽ホールは立派だった。世界的な建築家が手がけた場所がいくつもあり、豊富な資金力で海外から一流の人たちを次々に呼んでいる。クラシック音楽を趣味にする知識人は予想以上に多かった。会場でスマートフォンで撮影する点はなかなか改善しないが、演奏中に音を立てないとか、最後まで残る、といった面は変化していると思う。

中国で芸術や表現の面でよく言われることだが、まず共産党の強権的な管理があり、他方で民間企業があって、その間にはさまざまな法令や規制、行政指導があり、そこでせめぎ合いがあって、ここまでの表現はNG、ここまで表現してみたが行政からは何の指導もないからもう少し進めようとか、社会には多種多様な原則があるものの、それだけでは物事がうまく進まないので、民間がやっているのをうまく政府側も生かしながら枠組みを新たに作るとか、暗黙の不思議な癒着というか落としどころというか、その辺でうまくアクセルやブレーキを踏みながらやっている所がある。中国共産党は一党支配だが、それでも国民が息苦しくならない『抜け穴』のようなものが社会に実は結構存在しているように思える。その辺が共産党が崩壊せずに続いている秘訣の一つかな、という印象を持っている」

——今後の日中関係については。

「日中関係は、いわば引っ越しのできない隣人関係だ。友人は選べるが隣国は選べない。好き嫌いで選ぶこともできない。世界第二位の経済大国を私たちは相手にせざるを得ず、中国の国内や経済などの問題は日本にも直接影響してくることになる。現状の『戦略的互恵関係』を続けていく必要がある。

また『世論外交』も大切になる。中国の体制はますます集権化していくが、体制の変化とかかわらず一四億人の人たちがそこに住んでいる。私たち日本人と中国人との関係は切ることができないので、市民は草の根レベルに直接アプローチするさまざまな方法を考える必要がある。

歴史問題や主権、台湾問題など、敏感な問題を慎重に取り扱うことも大切だと思う。親日的な人の層が他の地域よりも厚い上海だが、そうは言っても日中間の敏感な政治問題から自由ではあり得ない。領事館は江蘇省南京市を管轄しているうえ、上海師範大には慰安婦像が建てられたし、この地域から東シナ海も遠くない。ナショナリズムを刺激しないよう、日中双方が慎重にハンドリングしてこうした敏感な問題が日中関係全体に悪影響を及ぼさないよう、冷静に処理する関係を作っていく必要がある。

中国を過大・過小評価するのはいずれも適当ではない。相手が中国だと、日本ではつい感情が理性を上回ってしまいがちだが、プラス・マイナス双方の面、強さや弱さを含めて日本が中国を冷静に分析し、理性的な対中政策を打ち出していかなければならない。

中国を相手にしていくには、中国との差別化を図っていくことも大切だ。中国から見て『中国にはとても真似できない』『さすが日本だ』と思わせるものを見出し続けることが必要になってくる。

中国と量で対抗する時代はもう過ぎた。日本の特性を生かしながら、アジアや世界に貢献する時代になってくる。日本は米中のような超大国の要素はなくても、『この点は日本との相談が必要だ』とか、『協力して学ばなくては』と中国に思わせ続けるさまざまなものを今後も持ち続けることが大切だろう。

中国とは、例えば尖閣問題や歴史問題、台湾、東シナ海問題など、外交や内政上一定の許容限度を超える出来事が起きると、改善の方向に向かっている関係が一気に変わるという危険性や可能性は絶えずはらんでいる。そういう時に中国は、ファーウェイを巡る問題でのカナダに対する措置や、在韓米軍のTHAADミサイル配備問題での韓国に対する方針もそうだが、日本外交としてはなかなかできない措置を露骨に打ち出してくる可能性もある。それによって関係は悪化することもあり得るので油断は禁物だ。

ただ、二〇一二年に尖閣問題で反日デモが拡大した結果、自国民にとっても傷つく結果を招いたことは今も多くの人の記憶に残っている。これまでのように当局がすべてを統制して、それが国民の考え方にも効果的に機能する時代ではなくなった気もする。

日本では、広東省深圳あたりとか、ビッグデータを集積する貴州省あたりに多くの方が興味を抱いているという話が多いのは理解できるが、上海での日本への理解は一層深まっている。また上海市は共産党トップの人材を数多く輩出している。その重要性を考慮すれば、訪問に十分値する場所であることには変わりない。

何といっても上海は日本と近く、知日派層も厚いので、上海の動きは意識的に注目したほうがいいと思う」

――上海の将来像をどう見るか。

「一〇年には上海万博もあり、若い女性の間で上海がブームだった時期もあった。今も日本から週末にでもふらっと来れる距離にある。プラタナスの街路樹が整備されて洋館も残っており、おしゃれな街並みもある。ここには日本にない刺激がある。日本の建築家や音楽家を受け入れる素地もあり、あと五年、一〇年もすればさらに街が洗練されていくだろう。

上海のベテラン駐在員の間では、『上海は香港より面白い。香港は政治的に中国化が進み、かつての香港情報の重要度が低下している』という声も聞かれる。上海にもう少し意識的に注目してもいい。ここにいる人は非常に国際性があって実利的だ。また政治の街・北京に対抗し得る経済・文化の街としてのプライドがあり、日本ともさまざまな意味で深い関係がある。日本にとって今後も、上海の重要度が下がることはない」

磯俣秋男さん

いそまた・あきお　二〇二一年から駐アラブ首長国連邦大使。一九八五年に外務省に入省し、北京大学などに留学。北京の日本大使館一等書記官や内閣法制局参事官、外務省南東アジア第二課長、在ジュネーブ国際機関日本政府代表部公使（政務）、在フィリピン日本大使館公使（経済）、在インド日本大使館公使（経済）、在カナダ日本大使館公使（次席）を経て二〇一九年一月から上海総領事になり、一九年六月に上海総領事（大使）。

関係が密接であるからこそ

——二〇二一年一月で着任から二年を迎えた所感は。

「日本と中国は『引っ越しできない』間柄だとよく言われる。だから協力すべきだ、というよりも、歴史的、文化的、経済的にも密接な関係がある国同士として、日本は世界のほかの国にも増して、中国とどう向き合うかを正面から考えるべきだ。

二〇年は新型コロナウイルスの影響で当初の予定が実施に移せなかったことが多かった。だが上海に着任以来二年間、多くの中国人と接し、多数の行事に参加して今後の日中関係について考える中で、ますますその思いを強くしている。

関係が密接であるからこそ、さまざまな懸案もあるが、適切に対処しつつ、長期的な視野で、日本の長期的な国益を踏まえて、実務的な協力を含む関係の構築を進めるべきだ。そのためには、多種多様なビジネスが日々生まれている活力ある市場や、デジタル化が急速に進む社会を含め、中国の実情を客観的、また冷静に把握することがますます重要になっている。

関係構築の基礎として、相手をよく知ることが重要であることは言うまでもなく、コロナの状況が落ち着けば、日本からも各界の多くの方に中国に来てもらい、双方向の理解と交流が進むことを強く望む。かねてよりビジネス、文化の面などで日中交流が盛んな場所である上海が、そうした交流や協力の入り口として果たせる役割は大きい」

——新型コロナウイルスを巡る二〇年の対応を振り返ると。

「二〇年一月上旬に湖北省武漢市が原因不明の肺炎の発生を公表したことを受け、ただちに総領事館のホームページや電子メールで管轄区域の在留邦人に注意喚起をした。その後上海市でも疑い例が発生しているとの情報を得て、一月一九日には、幹部館員を集めて総領事館に対策本部を立ち上げた。

それから数カ月は全館員がコロナ対応に仕事を集中し、在留邦人への情報の提供、空港や隔離施設で困っている方への支援、地元当局への申し入れなどに全力を注いだ。隔離先の宿泊施設で食事や飲料水で苦労されている方、ウイルスの拡散を防ぐため建物の集中暖房が止まる中で寒さをしのぐ方、小さな子どもを抱えつつ隔離施設での不便な生活を余儀なくされた方など、話をうかがう総領事館員の側も心が痛むような状況が多くあった」

――ウイルス対策で今後の懸案や課題は。

「その後中国は全体として比較的早期に感染をコントロールし、経済や社会活動も二〇年半ばごろからは徐々に回復してきた。

一方で、感染の『国外からの流入を防ぐとともに、国内での再発を防ぐ』(外防輸入、内防反弾)との考え方のもと、各地の状況などに応じた規制措置が続いており、人の往来が不自由な状況も続いている。そのため、例えば出張で日本と中国との間を行き来できないことによる事業活動の遅れ、またいったんは日本に帰国した家族が中国に戻ってこられないことによる不便などが生じている。

このような状況では、国境をまたぐ人的往来を伴う交流活動は難しく、例年実施するような文化行事、自治体間交流なども、オンライン開催を含めて現地ベースで可能な形で行われてきた」

――日系企業の影響や今後の活動の見通しは。

「日本を含む世界中で感染がなお落ち着いていない中で、今後の人的往来を見通すことは簡単ではないが、ビジネス上の往来や留学については、感染対策を講じつつ、早期に規制を緩和することがいずれの国にとっても優先事項だろう。

観光旅行はその先とならざるを得ないだろうが、経済の回復のためにも、観光目的の往来の早期の再開が望まれる。今後ワクチンの接種が進むにつれ、一刻も早くそういう状況になることを期待したい」

――近年の取り組みの重点は。

「二〇年前半はコロナ禍の中での在留邦人・日系企業への支援に全力を注いだ。後半からはそれと並行し、オンラインや現地ベースでの交流行事の主催や支援、日系企業と中国側関係者との意見交換の場を設けるなど、経済、文化、教育などの分野で可能な形での交流を後押ししてきた。

介護、医療・医薬などの『健康』は両国が大きな関心を寄せる共通の課題で、産業としても中国で今後ますます発展が見込まれており、ポスト・コロナの日中協力としても意義のある分野だ。

特に介護産業については、長期介護保険制度が試験的に実施されている上海市や江蘇省南通市のほか、江蘇省南京市、浙江省嘉興市などで、関心を持つ日系企業とともに地元当局との間で『介護産業座談会』を行った。各市の介護制度の実施状況を把握し、今後日中間で連携・協力が可能な内容などについて意見交換した。

中国の介護産業は黎明期にあるが、全国的な制度設計が追いついておらず、各地方が政策を立案し、互いに競っている状況だ。一方、日系企業が各社単独で地方政府と対話をすることは難しい場合もあり、官民合同の対話を行うことは意義があると考えている」

デジタル化はさらに加速

――上海の経済や社会の変化をどう見るか。

「二〇二〇年以来のコロナ禍で社会のさまざまな活動が制約される中で、コロナ対策について言えば、中国と国外との人的往来の一大窓口で、国内でも人的移動の巨大なハブとして、上海が市内の感染拡大阻止に大量の人的・物的資源を割いて迅速な対応をし、実際の効果を上げたことは注目すべき事実だ。

同時に上海は、市内の複数の一流の病院から武漢市へ率先して医療支援チームを送り、九チーム、延べ一六〇〇人を超える上海の医療従事者が武漢の医療現場を支えたと言われる。こうした上海市の対応が、中国をリードする大都市として、国内における上海の位置づけや上海への信頼をさらに高めることに寄与した面はあるだろう。

また対米関係、香港問題などを巡って中国を取り巻く状況がますます複雑化する中で、中国経済の一大中心地として一層の改革・開放に取り組み、また中央の期待をさらに担う状況になっている」

――上海でのオンライン利用の進展や速度についてどう見るか。

「社会のデジタル化については、スマートフォンにインストールしたアプリを使っての、買い物の支払いや出前の注文、タクシー配車とその支払い、個人間での金銭の送受などが中国各地で近年急速に進み、上海をはじめとする沿海地域はその先端を担ってきたが、今回の新型コロナへの対応の過程で、デジタル化はさらに加速し、定着の度合いを強めている。

是非は別として、これらのデジタルサービスが蓄積するビッグデータが、個人の移動履歴の確認による感染拡大阻止、感染事例における濃厚接触者の割り出しなどの面で効果的に活用され、感染予防のための非接触型支払いのさらなる促進と相まって、社会のデジタル化を後押ししている。

今や感染症対策関連のこうしたアプリをスマートフォンにインストールしておかないとオフィスビルや店舗に入ることを制限されたり、対面会議への出席を認められなかったり、ホテルに宿泊することもできないほどだ。

デジタル機能による厳格な規制で、中国は他国と比べてもコロナの感染拡大に効果的に対処しているとの自負が市民の中に生まれてきており、今後政府がデジタル化を一層強力に進めるうえで社会的な合意形成にも役立っている」

依然大きい訪日需要

――コロナ禍の中で、中国人の対日イメージに影響や変化は。

「コロナ禍の早い時期に、両国の地方自治体と地方政府の間、企業、その他の団体などの間で、防護物資や医療物資の相互支援、応援メッセージの交換などがあったことは、中国各地で積極的に報じられたり引用され、中国人の間に日本や日本人への好感情を生んだ。

上海では『ユニクロ』『無印良品』、そして最近オープンした『蔦屋書店』、世界最大の旗艦店を開設した『niko and ...』など、日本のファッショングッズや雑貨などを扱う店は、相変わらず常に中国の若者であふれている。

また二〇二〇年に発表された国際交流基金の日本語教育機関調査でも中国での日本語学習者は順調に増えているとの結果が出ている。特に上海を中心とした華東地域の中等教育レベル（中学や高校）で日本語を教える学校や日本語教師が急増していることは注目されている」

――中国人に人気の国外旅行先が日本という現状に変化は。

「中国人による訪日観光については、コロナ収束後を見据え、広報活動を続けている。二〇年に九州の地方自治体グループと協力して、主に何度も訪日している人を対象に、訪日旅行への関心維持を目的に観光イベントをしたが、一〇〇人の参加枠に一〇〇〇人以上の参加の申し込みがあった。

　上海で各層の中国人の話を聞いていると、潜在的な訪日観光需要は相変わらず大きく、むしろコロナ禍で日本に自由に行けない分、訪日意欲は強まっていると感じる。コロナが収束して観光旅行での訪日への制約が緩和されれば、日本が中国人にとって人気の旅行先になることに変わりはないと思う」

　――上海での日中関係の見通しは。

「上海を含む華東地域が日中経済・文化交流の最前線であることに変わりはなく、新型コロナウイルスが有効にコントロールされ、日中間の人的往来に関する制約が緩和されれば、これまで延期されていたものも含めてそれぞれの分野の交流が再び活発に行われると信じている。

　一方でコロナは、世界に新たな仕事と生活のスタイルをもたらしており、新たなビジネスの機会も提供している。中国はさまざまな試みを許容する壮大な舞台であると同時に、巨大な購買力がある現実の市場でもあり、そこに今後の協力の源やきっかけも多く見いだせるだろう。

　特に華東地域は、日中交流の最前線としての資源と経験を生かし、日中間の交流や実務協力を一層進めるうえで優位性があり、コロナが収束すれば、双方の関係者の積極的な取り組みで多くのことが実現できるはずだ」

——これからの重点は。

「日中関係を長期に安定させるうえでは信頼醸成が不可欠で、相互信頼の増進に向けた努力が引き続き重要であることは言うまでもない。政府間の相互信頼の醸成とともに、関係を安定化させる役割を担う国民交流の一層の推進がますます重要だ。

特に、両国民間で共感や共鳴を生むような交流、若者同士の心と心が通い合うような交流を一層広範に進めていくことが大切で、そのためには各界での意識的な取り組みが求められる。こうした面も官民で協力し、成果につなげていきたい」

（※当時のインタビューを元に一部編集を加えた）

おわりに——変化する隣国に関心を

筆者の手元に、一九三〇年代に聯合通信（後の同盟通信社）上海支局長として上海に赴任した松本重治が書いた『上海時代——ジャーナリストの回想』（中公文庫）がある。満州事変後の排日、抗日の風潮の中で、日中戦争の勃発をはさむ六年間、上海で報道を続けた記録だ。

この中で「取材活動の三原則」のくだりに、こう記されている。上海に赴任するにあたり、松本は聯合通信の総支配人、古野伊之助からこう助言されたという。

「取材に当って第一に心得べきことは、ギヴ・エンド・テイクだ。取材したい当の相手とインタヴューする場合には、何かニューズはありませんかなどと物欲しそうな顔をして行っては絶対駄目だ。逆に、相手が知りたいと思われるニューズをまず与えよだ。そういう話しの種は、平素からよく勉強しておく必要があるだろう。たとえば、上海の日本人なら、東京はどういうふうに動きつつあるかが知りたいものだ。それをこちらが勉強しておいて、相手に話してあげるんだ。また君が中国やその他の国の人々と会って聞いた話で面白そうなニューズを、まず取材の相手方にも提供してあげる。そうなると、君は、いつ来ても面白い話をする男だと思われるようになる。そのうちに、『実はねえ』というわけで、相手方から君にニューズをくれるようになる。『君だから話をするがねえ』といって、極秘の話をしてくれるようになる。十のものを与えて一を取るぐらいの取引を覚悟して、実行すれば、必ず成功するものだ。そういうやり方は、中国人や外国人から取材しようと考える場合にも、必ず有効に働くものだよ」

「第二には」「新聞記者にもっとも大切なものは信用だ。ことにニューズ源と記者との信頼関係だ。『書くな』といわれたら、どんなに（電報にして）打ちたくても打ってはならない。いったん信頼を裏切ったら、君は記者として役に立たなくなってしまう。ただしだ、『書くな』とか『打つな』とかいわれたニューズを、をどうしても電報にして打ちたいときは、同じニューズを第三のニューズ源から取材すればよい。そしてその第三のニューズ源が『打つな』といわなければ、打っても第一のニュース源の信頼を裏切ったことにはならない。しかし原則的にいって、信用の問題が非常に重要であって、君が『口の固い男だ』とか『信用してよい男だ』といわれるようになれば、ニューズは、自然と君に集まってくるものだ」

松本の「スクープというものは、どうしてできるのでしょう」との問いには、こう答える。

「そりゃあ、スクープなんていうものの半ばは、運だよ。事件が起って、偶然その現場に居合わせた場合もあれば、時間をかけて培養したニュース源が、とくに君に知らせようと言ってくれることもあろう。だが、取材の奥の手は、ニューズをクリエイトすることにある。これが第三のポイントだ。君がニューズをクリエイトすれば、いつでもスクープができるようになるんだ。なかなか会えない人をやっとつかまえて単独会見することなども、ニューズを簡単にクリエイトすることになる」「日本の要人と中国ないし第三国の要人との会見なんかも、君がアレンジして会見させれば、それはニューズをクリエイトすることになり、それは自然、君のスクープとなる」三つの点を「しっかり実行すれば、君の成功は疑いないよ」

当時、聯合通信は財政難で「つぶれるかもしれない」と言われ、好待遇は期待できなかったようだ。「財政的に余裕がなく、極度に節約しているから、支局長の交際費などは一文も出せないよ」。そう言われての赴任だった。

別れ際に、こう厳命されたという。

「ぜいたくは禁物だよ。今、上海支局にある自動車なんかは処分し給え。テク（徒歩＝引用者注）で行くんだよ」

その後、松本は上海駐在の六年の間に、西安に入った蔣介石を張学良らが武力で監禁した西安事件（一九三六年一二月）をスクープする。日中戦争に突入する時期の緊迫する外交折衝にも関与するまでになる。

上海にいる時、筆者はずっとこの「三原則」のくだりが頭から離れなかった。かつての日本人街を歩きながら、松本のありし日の姿を想像したりした。九〇年近く前の話なのだが、それでも今の取材にも通じる気がするからだ。筆者にも社有車はなく、時代は変わって上海の移動は地下鉄かスマホアプリで呼ぶタクシー、シェア自転車だった。

振り返れば、この通りだったと思う部分と、うまくいかなかったことがある。だが、この姿勢は記者としてとても大切なことだと思っている。きっとこの「三原則」は、中国にかかわる人や、中国に関心がある人にとっても参考になるのではないか。

「松本がもし今の上海を見たら、この信じられないような変貌ぶりを一体どう表現しただろう」。街を歩きながら、よくそう思った。

近いが、異なる考え方

二〇〇九年から中国報道に携わって一〇年余り。中国を見ていて、いつになっても新鮮さを覚えることもあるし、不自由なネット環境や煩雑な数々の手続きが嫌で仕方がないこともある。「日本人と似ている」と思ったり、「だいぶ違う」と驚かされたりもした。

まだまだ考え方の違いは大きい。

上海でサッカー教育に携わる関係者から、こんな話を聞いた。サッカーを通じて中国の子どもたちを見ているが、「日本の将来が不安になる」というのだ。

この関係者は、よく中国の子どもたちを日本に一週間ほど合宿に連れていっていた。日本の子なら、学校が組んだスケジュールに大抵は文句を言わない。「ちゃんとあいさつをするように」と言えば、日本の子はきちんと言うことを聞いてあいさつする。はきはきした返事が来るので、コーチは気分が良い。

だが中国の子は違っていた、という。都合で変更した予定について「こう調整したら何とかできるのではないか。なぜ明日にずらすのか」と食ってかかる。親からは「お金を払っているのだから、言いたいことを主張してきなさい」と教えられてくる。「中国は共産党の一党支配で、上から言うことには素直に従うと思ったが、下からの突き上げは結構激しい」のだという。

またこんなこともあったという。合宿中、中国の子に部屋をそうじさせると、完璧にきれいにできていた。コーチは「よくできた」とほめた。だが実は、海外の合宿を心配する親が我が子にまとまったお金を渡しており、その子がルームメイトにそのお金を配り、そうじをさせていたのだ。

コーチがそれを知って怒ると、お金を配ったその子は「僕は楽ができた。ルームメイトもお金がもらえた。部屋もきれいになった。みんなハッピーなのに一体どこが問題なのターになる人は少なからずいるはずだ。実際に上海の人が秋田でマンションを購入した、という話が少しずつ聞こえてくるようになった。

筆者は二〇二〇年一一月、同僚と秋田県の佐竹敬久《のりひさ》知事にインタビューした。知事選への出馬表明直前の時期で、県政の課題について話題にしていると、こんな答えが返ってきた。

「現代は大格差社会です。要するに、一部のすごい能力がある者。ここに富が集中する。でも、みんな能力があるわけではない。そういう時に、格差社会が本当に良い社会なのかどうか。

格差はつまり、さまざまな職業の差別を生みます。しかし面白いことに、実はそれがすごく弱い社会になる。いったん天変地異が起きると、頭でっかちの人だけでは人命は救助できない。泥に埋まった人は、機械だけでは助けられません。物を運ぶには、力が強い人が必要になる。そういう局面では、知識でお金をもうける人より、より基盤になる、こうした支える人たちのほうが大切なんです。

どういう風にバランスを取りながら格差をなくしていくか、政策誘導でバランスを取るのがものすごく難しい」

佐竹氏は秋田の各地をくまなく見て回ることで、一体どんな人たちが実際に地域や経済活動を支えているのかを熟知しているのだろう。筆者にもこの話の大切さは何となく理解できた。上海はまさに、格差を否応もなく見せつけられる街で、行き着く先には激しい競争があり、人と差をつけ、多くのお金を持つことが多くの人の目標だった。ただ、こうした激しい流れに疲れ、ついていけなくなっている人たちもかなりいるように見えたのだ。

コロナ禍も起き、この先さまざまな自然災害も予想される。こうした事態を乗り越えるためには、あらゆる職業を尊重して大切にし、「どの職業も、社会が回っていくためには不可欠なものだ」と認め合うことが必要だ。上海から秋田に来て、ますますその思いを強くしている。

安い日本のサービス

日本の地方で暮らし始めて不安になることもある。「日本のサービスが安すぎる」と感じるのだ。秋田に住み始めて思うのは「人々は提供したサービスに見合った正当な対価を本当にもらえているのか」という疑問だ。

二〇二一年初頭、秋田は歴史的な豪雪に見舞われた。こうした中で、新聞や荷物を配達する人たちは命がけだ。配達員さんの苦労を毎朝想像すると、気分は重かった。予想以上の豪雪で、新聞は早朝に届かなくても当然だと思っていた。

ある日、ある新聞の配達が一メートル近い積雪のため届けられなかった。こうした危険な中での配達なので遅れるのは仕方なく、むしろ申し訳なく思うのだが、翌朝はきちんと届けられ、とても丁寧な「おわび」のチラシまでついていた。本来自分がお礼を言うべきところだと思った。

中国から戻ると、日本各地のこうした「過剰にも思える丁寧さ」「本来必要がない場での『おじぎ』や『すみません』の言葉、機能のディテール（細部）」が多すぎる、と感じる。社会のルールが固定化し、その慣例を組織が部下や若手に機械的に強いる。言われた側はそれをなかなか拒否できない。

その結果、しなくていいことに気を遣い、周囲の言動を気にしてますます神経をすり減らす。しかもその対価が正当にもらえていないのではないか。社会の競争が進み、相当な手間をかけて作り上げたサービスが、どんどん値下げされている感じがする。

こうした日本の「過剰サービス」を最大限に享受していたのが、近年の中国人観光客ではないか。中国国内にいるとこうした水準のサービスを普段はあまり受けることがないので、中国人にとって日本はとても居心地がよい。自治体の補助金を投入して値下がりしたバスなどの料金は、中国人にとっては「信じられないほど安い」。莫大な財産を持つ中国人の金持ちが、わずか数百円で日本のサービスを最大限享受している、と喩えたくなる構造だ。

沖縄のある代表的な観光地を訪れた時に驚いたのは、入場料が無料で、一番のスポットの料金はわずか数百円だった。中国の少し名前の知れた所なら一〇〇元（約一八〇〇円）

はざらにする。日本の優れたモノやサービスが、どんどん安く裕福な中国人や外国人に買われている。一時帰国するたびにそう感じて悔しくなったが、その状態は今も各地で続いているのではないか。

「スピード感」と「上から目線」のリスク

日中の相互理解には、まだまだ大きなギャップがある。中央大学の安野智子教授、榎本泰子教授らが二〇二〇年二月にまとめた日中間のソフトパワーに関するウェブ調査では、中国への観光旅行経験について「ある」と答えた人は一三・五%、中国語（学習）について「経験したことがある」との回答は八・八%にとどまる。

また、ある日系大手商社の幹部が上海でこう話していた。「我が社にとっての中国ビジネスの脅威は二つある。一つは中国に対する日本人の『上から目線』が抜け切れていない。二つ目は中国のスピード感を分かっていないことだ。中国のビジネスモデルを参考にし、うまく使って日本で商売する発想があればもっと可能性が広がる」

上海の外交関係者はコロナ禍の前、修学旅行などを検討する自治体関係者らに対し、「日本での中国のイメージは確かにいいとは言えないが、『食わず嫌い』ではなく、まずは一度実際に来てみることを各所には勧めている。好き嫌いはその後に判断すればいいのではないか」と繰り返し説明していた。現在はコロナ禍で往来にはかなりの労力がかかってしまうが、隣国の動きに関心を持ち続けることの重要度は決して変わっていない。
コロナ禍による影響は計り知れないが、国民にとっての利益を重視しつつ、中国の動向には注視や関心を払うことを絶えず怠らないこと。改めてこの大切さを実感している。

上海を拠点にした取材にあたっては、毎日新聞外信部の先輩や同僚、後輩に多くの支援をいただいた。「アジア時報」に時折原稿を載せていただいた元外信部長の吉田弘之・アジア調査会事務局長（当時）、また上海にも来ていただき、絶えず激励してくれた元外信部長の飯田和郎・RKB毎日放送常勤顧問、中国に関する分析記事を送り続けてくれた元外信講談社の近藤大介・現代ビジネス編集次長、本書の完成を期待し続けてくれたフリージャーナリストの中島恵さん、中央大学文学部の及川淳子准教授、上海や中国各地の数々の現場で苦楽を共にした孫雪芹助手ら、多くの人の善意や支えを背にまとめることができた。改めて感謝申し上げたい。
また、コロナ禍の異例の事態の中、前著『中国人の本音』の続編とも言える本書の完成を根気強く待ち続けてくださった平凡社新書の金澤智之編集長のご尽力に、深く御礼申し上げます。

二〇二二年一月　秋田市で

工藤哲

【著者】
工藤哲（くどう あきら）
1976年青森県生まれ。埼玉県出身。99年に毎日新聞社入社。盛岡支局、東京社会部、外信部、中国総局記者（北京、2011～16年）、特別報道グループ、上海支局長（18～20年）を経て秋田支局次長。著書に『中国人の本音 日本をこう見ている』（平凡社新書）、『母の家がごみ屋敷 高齢者セルフネグレクト問題』（毎日新聞出版）、共著に『離婚後300日問題 無戸籍児を救え!』（明石書店、07年疋田桂一郎賞）などがある。

平凡社新書998

上海
特派員が見た「デジタル都市」の最前線

発行日――2022年2月15日 初版第1刷

著者――工藤哲
発行者――下中美都
発行所――株式会社平凡社
〒101-0051 東京都千代田区神田神保町3-29
電話 （03）3230-6580［編集］
（03）3230-6573［営業］
印刷・製本―株式会社東京印書館
装幀――菊地信義

ISBN978-4-582-85998-0
平凡社ホームページ https://www.heibonsha.co.jp/

平凡社新書　好評既刊！